はじめてでも
スイスイわかる!

確定拠出年金［iDeCo（イデコ）］入門 第2版

株式会社エフピーウーマン代表取締役
大竹のり子 著

ナツメ社

はじめに

「将来、国からもらえる公的年金だけでは生活できない」
「老後への備えといっても、今の生活に精一杯で余裕がない」
「投資や資産運用なんてしたことがないし、怖い」

年金の支給額が下がり、受け取り開始年齢も上がることが予想されるなか、老後のお金に不安を抱えながらも、どうしたらいいかわからないでいる人は、決して少なくありません。

そんな人に、ぜひ知ってもらいたいのが個人型確定拠出年金、愛称iDeCo（イデコ）という国が認めた制度です。

iDeCoのしくみは、毎月お金を積み立てて、それを預金や投資信託などで運用していき、貯まったお金を60歳以降に受け取るというもの。難しそうな名前ですが、お金を積み立てることで、簡単に得をすることができます。

たとえば、「**所得税や住民税が安くなる**」「**運用中の利益に税金がかからない**」「**受け取り時にかかる税金が安くなる**」など、「**老後の資金が貯まる**」以外にもメリットが盛りだくさん。一方、「途中で引き出せない」「中途解約できない」「ずっと手数料がかかる」といったデメリットもあります。ただ、これは「**引き出せないからこそ確実に老後資金が貯まる**」ともいえますし、「**手数料以上の利益や節税メリットを得る**」ことで解消できます。

本書は、2022年からのiDeCoの新制度に対応しています。また、iDeCoだけでなく、老後のお金全般、iDeCo以外の制度、資産運用、なかでも投資信託の基本などについて、専門用語をできるだけ使わずに、漫画や図解を交えてわかりやすく解説しています。iDeCoに興味がある人のほか、節税メリットを期待する人、はじめて投資にチャレンジする人、将来のマネープランを見直したい人にとっても、役に立つ情報を盛り込んでいます。

読者のみなさんが充実した毎日を過ごし、安心できる老後を迎えるために、本書が少しでもお役に立てることを心から願っております。

株式会社エフピーウーマン代表取締役　ファイナンシャルプランナー
大竹のり子

CONTENTS

CONTENTS

レッスン1

正しく知って不安をなくす

幸せな老後のためのお金の準備

レッスン2

初心者でもこれならわかる

iDeCoで始める資産運用

レッスン3

ここで差がつく！

金融機関のかしこい選び方

レッスン4

安定運用か積極運用か

自分に合った金融商品の選び方

※本書は2022年の法改正に則り、2021年10月現在の情報にもとづいて作成したものです。

この本のおもな登場人物

マスター

喫茶店のマスター。老後資金が気になり始めた42歳。

アルバイト

喫茶店で働く。将来はまだ見えないけれど、しっかり者の20歳。

大竹先生

iDeCoを中心に、正しいお金の知識をわかりやすく解説します。

知らないのはもったいない！
貯めながら節税できる
個人型確定拠出年金とは？
〔iDeCo〕（イデコ）
iDeCo
いらっしゃい
こんにちは
Coffee
マスター
いつものお願い
なんか、元気ないですね。
どうしたんですか？
ウチ、ダンナが
そろそろ定年だからさ
年金や退職金が
どのくらいもらえるのか
確認してみたの
!!
8万!?
そうしたら
思っていたより
少なくって
ガッカリ……
年金どんどん
少なくなるって
いいますよね〜
コーヒー
ブラックで
私のときは
もらえるかどうか…
ね…
どよーん

マスター
まだまだ先と思っていても
60代なんてあっという間よ！
老後のこと考えてる？
そ、そうなんですか？
お店のことで手いっぱいで
老後の備えなんてしてないよ～
あ、そういえばこの前
テレビで老後の資産をつくる
制度があるってやってましたよ
えっ、ホント？
どんな制度？
なんだったかなぁ
カク？　キョ？　ネンキン？
えーと
えーと
カク？
キョ？
個人型
確定拠出年金です！
カク テイ
キョ シュツ
それ！
突然ごめんなさい
それは
個人型確定拠出年金
っていう制度ですよ

私、ファイナンシャル
プランナーの
大竹のり子です
老後のお金について
心配されているようですね
メチャメチャ心配です
お店はいつまで
できるかわからないし
常連さんはお年寄りが多いし……
マスターそれは…
キッ
今、老後の資金づくりに
おすすめの制度が
“個人型確定拠出年金〔iDeCo〕”
なんです
イデコ？
もともと2001年からあった
制度ですが
2017年、2022年のリニューアルで
グンと使いやすくなったんですよ
リニューアル
バサッ
iDeCo
ところで
どんな制度なんですか？
自分でお金を運用して
老後資金をつくる制度なんです
自分で運用する分
税金のメリットが
たくさんあるんですよ！
運用
¥
¥

メリット1
所得税・住民税が安くなる
毎月1万円の掛金なら
通常、最低でも
年間1万8000円の税金が
節税になります
10,000
10,000
10,000
iDeCo
掛金
¥
税金
国
地方自治体
税金
戻します
メリット2
運用中の利益に
税金がかからない
ふつうは利益に約20%の税金が
かかりますがiDeCoではゼロ！
効率よく運用することができます
ガード!!
iDeCo
の利益か
税金
iDeCo
利益
メリット3
運用したお金を受け取るときに
優遇制度がある
民間の個人年金保険では
この優遇制度は受けられません
ラッキー
iDeCo
優遇

節税しながら老後資金をつくれる
お得な制度なんですよ！
スゴーイ
でも、何かいいことばっかりで
あやしくないですか？
ホントに大丈夫？
さすが
しっかり者…
もちろん iDeCo には
デメリットもあります
いちばん大きいデメリットは
60 歳までお金を
引き出せないことですね
60歳以降
ONLY
iDeCo
えーっ
ただ
老後資金が目的なら
確実に貯められるので
見方を変えればメリットとも
いえます
確実に
貯められる!!
20才 → 65才
先生!!
iDeCo について
もっと詳しく教えてくださいっ！
わかりました
じゃあ iDeCo の
キホンから説明しましょう
お願いしまーす!!

プロローグ

これだけは知っておきたい

個人型確定拠出年金〔iDeCo〕のキホン

老後の資産づくりが
できて節税にもなるという
iDeCo。どんなメリットや
デメリットがあるの？

iDeCoってなあに？①

自分でお金を積み立てて「年金」や「退職金」をつくる制度

毎月の掛金額は決まっているけれども、
将来の受け取り額は運用次第で変わります。

「個人型確定拠出年金」はどんな制度ですか？
個人型、確定、拠出(きょしゅつ)ってなんのこと？

年金のもととなる掛金を払うことを「拠出」といいます。「個人」が「決まった（確定した）」拠出額を積み立てて年金をつくる制度です

iDeCoの加入から給付までの流れ

1. 加入
個人で任意に加入する

2. 拠出
掛金を毎月積み立てる

3. 運用
加入者が金融商品を選んで運用する

掛金

加入

個人型確定拠出年金 ＝ 個人が決まった額の掛金を払う年金

英語だと……

Individual-type（個人 型）
Defined（確定） Contribution（拠出） pension（年金） plan（制度）

check!
会社が掛金を払うタイプもある
⋮
企業型確定拠出年金
確定給付企業年金
▶P51

英語表記をもとに「iDeCo（イデコ）」という愛称がつけられました。"個人型DC"とも呼ばれています

なるほど〜。「企業」が確定した拠出額を積み立てる場合は、「企業型確定拠出年金（企業型DC（ディーシー））」となるんだね

運用損益

運用次第で、利益が出たり、損をしたりする。

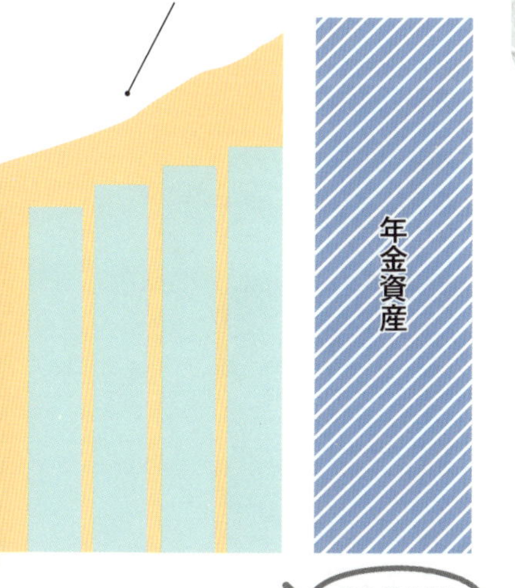

4. 給付
60歳以降に受け取る

または

いくら受け取れるかは運用次第！

一時金または年金：運用したお金を受け取ることを「給付」という。給付方法には、まとめて受け取る「一時金」と、一定の期間内に分割して受け取る「年金」がある。一時金と年金の併給ができることも。

iDeCoってなあに？②

20歳以上65歳未満のほぼすべての人が加入できる

法改正により、加入対象者数はグッと増えました。
どんな人がiDeCoに加入できるのでしょうか。

よい制度ならみんな加入したいと思いますが
iDeCoには誰でも加入できるんですか？

20歳以上65歳未満で国民年金保険料（P42）
を払っている人なら、**ほぼ全員加入できます**。
ただし、右上のような人は加入できません

iDeCoに加入できる人

自営業・フリーランス・無職
（国民年金第１号被保険者）

iDeCo

学生（20歳以上）
（国民年金第１号被保険者）

専業主婦（主夫）
（国民年金第３号被保険者）

公務員
（国民年金第２号被保険者）

iDeCoに加入できない人もいる

- ✕NG! 20歳未満、または65歳以上
- ✕NG! 現時点で国民年金保険料を支払っていない（支払いを免除されている人も含む）
- ✕NG! 農業者年金に加入している
- ✕NG! 65歳前に、iDeCoの給付金を受給したり、公的年金を繰り上げ受給した

check! 企業型確定拠出年金（企業型DC）▶P51

会社で「企業型確定拠出年金」に加入している場合でも、iDeCoに加入できますか？

企業型DCの会社掛金に自分で上乗せ拠出（マッチング拠出）していると、iDeCoを利用できませんが、基本的には同時に加入できます。会社の総務や経理に確認してみましょう

海外居住者
（国民年金任意加入被保険者）

会社員
（国民年金第２号被保険者）

keyword

「加入者」と「運用指図者（うんようさしずしゃ）」

加入者とは、掛金を払って運用する人のことです。一方、運用指図者は、掛金を払わずに、積み上げた資産の運用だけを行う人のことです。

掛金が払えなくなったときは、手続きをすれば、加入者から運用指図者になれます。ただ、口座管理手数料（P98）は払わなくてはなりません。いったん運用指図者になっても、65歳未満なら加入者に戻れます。

農業者年金：農業に従事する人のための公的な確定拠出年金制度。年間60日以上農業に従事する、60歳未満の人で、国民年金第１号被保険者なら誰でも加入できる。

iDeCoってなあに？③

金融機関と金融商品を自分で選んで運用する

自分で選んだ金融機関にiDeCo専用の口座を開いて
決まった額の掛金を積み立てていきます。

iDeCoでは、1人につきひとつずつ専用の口座を開いて、自分で運用していきます

運用って、株価をチェックしながら売ったり買ったりするの!? そんな難しいことできませんよ。時間もないし……

iDeCoでは株式は扱いません。iDeCoの運用は、短期間で金融商品を売買するのではなく、長期間、一定の金額を積み立てる"長期積立"が基本。初心者でもできますよ！

iDeCoの運用
＝ 金融商品を選んで、毎月一定額を長期間積み立てていく

〈iDeCoの金融商品は3タイプ〉

定期預金　保険商品　投資信託

金融商品は口座を開いた金融機関で選ぶ

金融機関Aに口座を開いた場合

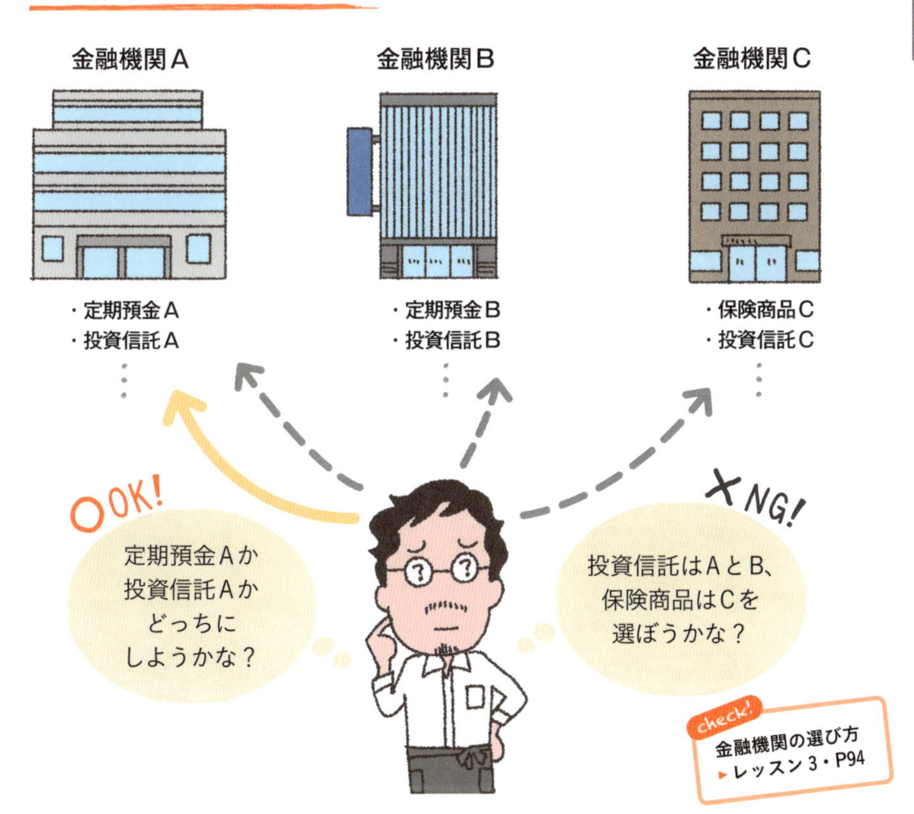

check! 金融機関の選び方 ▶レッスン3・P94

金融商品は、口座を開いた金融機関の商品から選びます。ほかの金融機関の商品は選べません

1つのお店からしか買えないってことですね

その通り。ですから、お店選び、つまり金融機関選びはとても大事なんです！

運用：ここでは資産運用の意味で、もともともっている資産を活用すること。資産運用には、安全に貯める「貯蓄」と、増やすことを目的として金融商品を売買する「投資」がある。

iDeCoってなあに？④

月額5000円から1000円単位で積立投資ができる

月々の掛金は5000円から1000円単位で
自分で決められますが、上限があります。

iDeCoの長期積立って具体的にはどんなふうにやるんですか？

本人名義の口座から、5000円以上1000円単位で掛金を積み立てていきます。勤務先が対応できれば、給与天引きでもOKです

積み立てる金融商品は1つでも複数でもよい

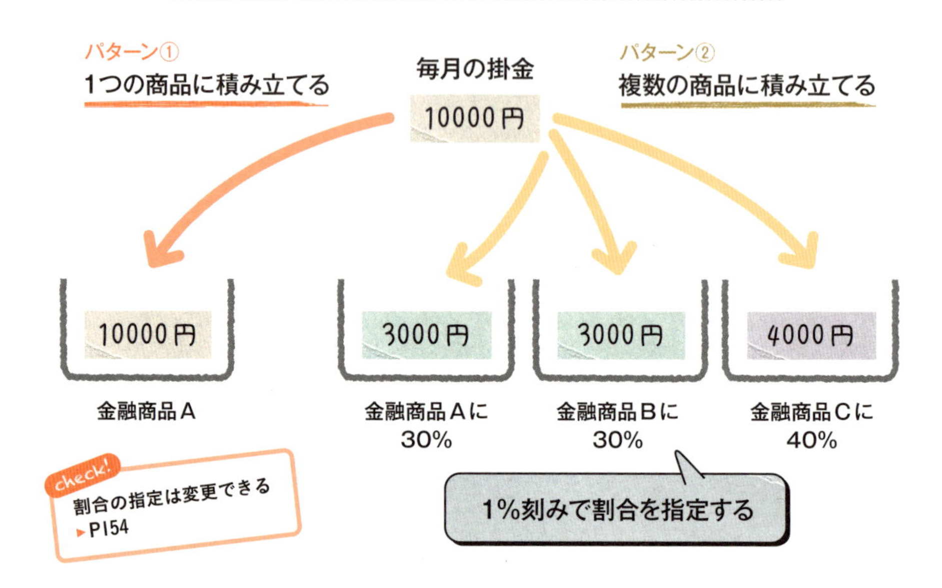

check!
割合の指定は変更できる
▶P154

掛金には上限がある

自営業・フリーランス、学生

（国民年金第１号被保険者）

月額６万8000円
（年間81万6000円）

check!
国民年金基金の掛金や国民年金付加保険料と合わせての上限となる ▶P66

公務員

（国民年金第２号被保険者）

月額1万2000円
（年間14万4000円）

掛金は、国民年金が何号なのかや企業年金の種類などによって、上限（拠出限度額）が決められている。拠出限度額の範囲内なら、月額5000円から1000円単位で自由に決められる。

会社員

（国民年金第２号被保険者）

・企業年金なし

月額2万3000円
（年間27万6000円）

・企業年金あり

①企業型DCだけがある……月額２万円（年間24万円）ただし事業主掛金と合算して月額5.5万円まで

②企業型DCと確定給付型がある……月額1万2000円（年間14万4000円）ただし事業主掛金と合算して月額2.75万円まで

専業主婦（主夫）

（国民年金第３号被保険者）

月額2万3000円
（年間27万6000円）

掛金の上限額（年単位）の範囲内で毎月定額を掛けるほか、月ごとに金額を指定すること（年単位拠出）ができます

何十年も払い続けられるか不安だな～。掛金が払えない月はどうなるの？

払えなかった月の分の年金資産は増えません。ただ、上限額（年）の範囲内なら、ボーナス時などに掛金の上乗せができます。掛金額の変更や運用指図者（P17）になる方法もあります

年単位拠出、掛金額の変更：掛金額の変更は１年に１回可能。年単位拠出は、事前に拠出の年間計画を設定する必要がある。いずれも、金融機関から必要な届書を取り寄せて、必要事項を記入して返送する。

iDeCoのメリット①

掛金を積み立てると税金が安くなる

いちばんのメリットは、所得税や住民税が安くなること。
これは、掛金が全額、「所得控除」になるからです。

iDeCoの最大のメリットは、掛金がすべて「控除」になることです

確定申告のときに出てくるキーワードですね。
そもそも控除ってなんですか？

税金を計算するとき、一定の金額を差し引くことを控除といいます。控除できる金額が多いほど、税金は安くなります（控除の手続き・P150）

所得税はこうして決まる

給与所得控除（必要経費）
給与に応じて差し引くことができる。自営業の必要経費にあたる。

所得控除
基礎控除や配偶者控除、扶養控除、医療費控除などがある。iDeCoの掛金は「小規模企業共済等掛金控除」となり、全額、所得から差し引くことができる。

収入（売上） → 給与所得（所得） → 課税所得

例 収入400万円・会社員・独身の場合

わかりやすくするため、所得控除は、基礎控除とiDeCo掛金だけで計算し、特別復興所得税（0.315%）は考慮していない。住民税は所得割のみで試算。

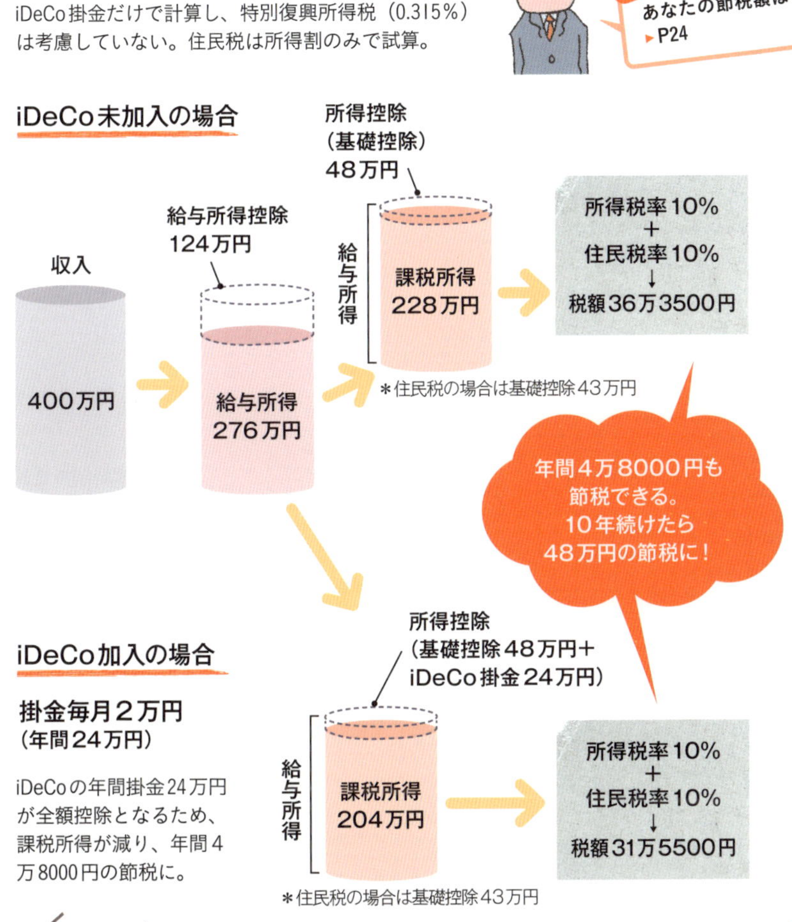

収入（自営業者は売上）から、給与所得控除（自営業者は必要経費）や所得控除を差し引いたのが課税所得。これをもとに所得税額を算出する。課税所得が少なければ税額も少なくなる。

課税所得に応じて、所得税率と控除額が決められている。

税額から差し引く。住宅ローン控除（P36）など。

課税所得 × 所得税率 － 控除額 － 税額控除 ＝ 所得税額

check!
節税額

あなたの税金、どのくらい安くなる？

iDeCoに加入して掛金を払うと、税金はどのくらい
安くなるのでしょうか。実際に、シミュレーションしてみましょう。

STEP1 課税所得を確認する

自営業者・フリーランス

確定申告書B（第一表）でcheck!

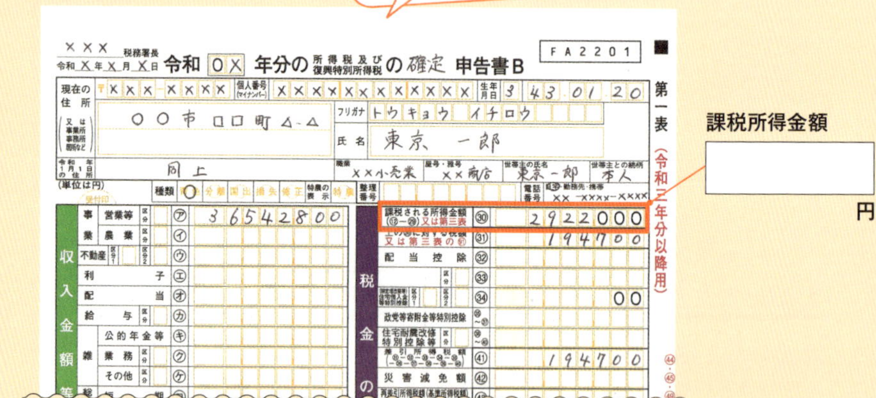
××× 税務署長
令和X年X月X日 令和0X年分の所得税及び復興特別所得税の確定申告書B　FA2201

第一表（令和三年分以降用）

現在の住所	〒XXX-XXXX　○○市□□町△-△
個人番号	XXXXXXXXXXXX
生年月日	3 43.01.20
フリガナ	トウキョウ イチロウ
氏名	東京 一郎
令和1年1月1日の住所	同上
職業	××小売業
屋号・雅号	××商店
世帯主の氏名	東京一郎
世帯主との続柄	本人

収入金額等		
事業 営業等	㋐	36542800
事業 農業	㋑	
不動産	㋒	
利子	㋓	
配当	㋔	
給与	㋕	
雑 公的年金等	㋖	
雑 業務	㋗	
雑 その他	㋘	

税金の計算		
課税される所得金額（⑫－㉙）又は第三表	㉚	2922000
上の㉚に対する税額 又は第三表の㊇	㉛	194700
配当控除	㉜	
	㉝	
	㉞	00
政党等寄附金等特別控除		
住宅耐震改修特別控除等		
差引所得税額	㊶	194700
災害減免額	㊷	

課税所得金額
　　　　円

会社員

源泉徴収票でcheck!

令和X年分　給与所得の源泉徴収票

支払を受ける者　住所又は居所　○○区△△町XX-X-X

種別	支払金額	給与所得控除後の金額（調整控除後）	所得控除の額の合計額	源泉徴収税額
給料・賞与	6 847千 500円	4 962千 750円	4 569千 846円	0

A給与所得控除後の金額　**B**所得控除の合計額

課税所得 ＝ [　　　] － [　　　] ＝ [　　　] 円

＊確定申告書は、国税庁ホームページに掲載されている「令和3年分の確定申告書（案）」による。

STEP2 課税所得から所得税率を確認する

課税される所得金額	所得税率	控除額
195万円以下	5%	0円
195万円超330万円以下	10%	9万7500円
330万円超695万円以下	20%	42万7500円
695万円超900万円以下	23%	63万6000円
900万円超1800万円以下	33%	153万6000円
1800万円超4000万円以下	40%	279万6000円
4000万円超	45%	479万6000円

課税所得が
350万円の
場合は……

STEP3 以下の計算式に当てはめる

iDeCo掛金（年間）［　　］円 ×（所得税率［　　］＋ 住民税率 10%）＝ 節税額（年間）［　　］円

例）課税される所得：350万円、所得税率：20%、
iDeCoの掛金：月6万8000円（年81万6000円）の場合

計算式）81万6000円×（20%＋10%）＝24万4800円

check! 掛金には上限がある ▶P21

自分が決めた掛金額（年間）と、所得税率を当てはめると、節税額の目安をシミュレーションできる。特別復興所得税、住民税の均等割は考慮していない。

毎月6万8000円の
掛金にしたら
年間24万4800円も
節税できるぞ!!

そんなに掛金、
払えないでしょ！

掛金は節税額
だけでなく、
家計のバランスを
考えて決めましょう

check! 掛金の決め方 ▶P78

iDeCoのメリット②

運用中の利益にも税金がかからない

ふつう、銀行預金の利息など、運用中の利益には
税金がかかりますが、iDeCoではかかりません。

銀行預金の利息に税金がかかるのは知っていますか？

そういえば……、記帳すると“税金”って印字されていますね

通常、金融商品の運用で得た利益には、約20％の税金がかかります。でも**iDeCoの場合、運用中の利益に税金はかかりません**

ふつう運用利益には税金がかかる

運用利益
金融商品の運用によって得た利益のこと。銀行預金等の利息や、株式や投資信託などの売買益や配当金、分配金などがある。

×

約20%
所得税15%と住民税5%に加え、復興特別所得税0.315%がかかる（令和19年12月31日まで）。

＝

税金

例）100円の利息がついた場合

100円×約20%＝税金約20円

税金約20円が
差し引かれ、
受け取る利息は
約80円となる

また、iDeCoでは途中でお金を引き出すことができないので「複利（ふくり）」の運用となります

複利ってなんですか？
「利」だから利息に関係しているのかな？

運用の利益を再投資していく運用方法です。運用利益が非課税で、さらに複利運用だと、長く続けることで資産を効率的に増やせます

非課税で複利運用が大きな差を生む

例）毎月2万円を年利3%で20年間運用した場合

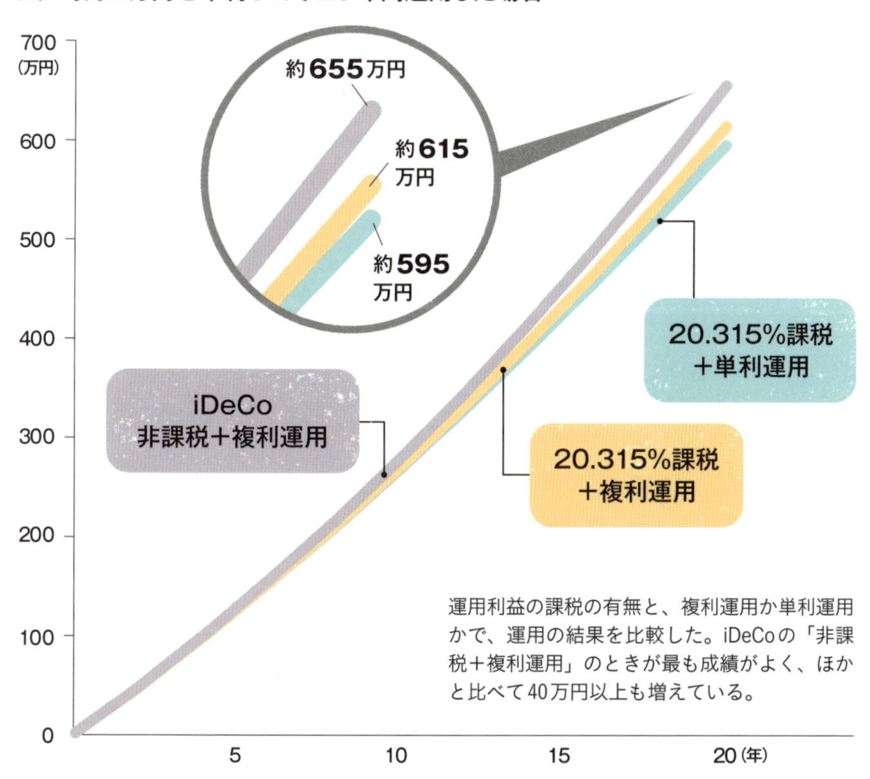

運用利益の課税の有無と、複利運用か単利運用かで、運用の結果を比較した。iDeCoの「非課税＋複利運用」のときが最も成績がよく、ほかと比べて40万円以上も増えている。

単利運用：運用で得た利益を元本に組み込まずに、最初の元本だけで運用していく方法。たとえば、投資信託のなかでも、利益を分配金として投資家に支払い、再投資しないタイプは単利運用。

iDeCoのメリット③

運用したお金を受け取るときの税金が安くなる

お金を受け取るときは税金がかかりますが、
優遇措置をうまく使えば、安くすることできます。

実はiDeCoで運用したお金を受け取るときには税金がかかるんです

えっ！　自分で積み立てたお金を受け取るのに税金がかかるんですか!?

はい。でも退職金や公的年金と同じように優遇されるので、金額や受け取り方によって税金を安くしたりゼロにすることもできますよ

iDeCoの税制上の3大メリット

メリット1 拠出時
掛金が全額控除できる

メリット2 運用中
運用の利益に税金がかからない

加入

お金の受け取りは控除の対象になる

一時金で受け取るときは、退職所得控除、年金で受け取るときは公的年金等控除が適用される。どちらも課税所得を減らして、税金を安くすることができる。

－

一時金で受け取る
退職所得控除

年金で受け取る
公的年金等控除

＝

退職所得控除
▶P166
公的年金等控除
▶P178

どちらの受け取り方でも
控除の対象になるので、
税金を減らせます

iDeCoでは、拠出時、運用中、給付時に、税制上のメリットがある。

または

60歳以降

メリット3 給付時
お金の受け取りには
税金がかかるが、
控除の対象になる

iDeCoのメリット④

転職や退職のときには積み立てたお金を持ち運べる

転退職などで国民年金のタイプが変わっても、
ほとんどの場合、iDeCoを続けることができます。

iDeCoに加入している人が転退職したり、結婚したりしたら、どうなるんですか？

基本的にiDeCoは転退職や結婚しても、そのまま積み立てることができます

じゃあ、転職が多くてもiDeCoの積立金を持ち運ぶことができるんですね

iDeCoのお金は持ち運べる

これまでは転退職などで運用指図者にならざるを得ないケースもあった。しかし、法改正によって、ほとんどの場合、そのままiDeCoを続けることができる。

iDeCo
継続OK!
公務員
（国民年金第２号被保険者）

iDeCo
加入者

iDeCoから企業型DCへの移換手続き

iDeCo加入者が、就職先や転職先の企業型DCにiDeCoの資産を移したい場合は、会社の担当者に伝え、移換手続きをしてもらいます（規約で同時加入が認められている場合はiDeCoに引き続き加入可能）。

移換すると、iDeCoの加入者資格もなくなります。口座を開いた金融機関から、自分で「加入者資格喪失届」をもらって提出します。

加入者資格がないのに、掛金を払っていると、その間の掛金はすべて払い戻されます（還付）。還付事務手数料（P35）がかかってしまいますから、加入者資格喪失の手続きを忘れないよう、注意してください。

企業型DCのある会社でiDeCoのお金を企業型DCに移したい場合は、移換（いかん）手続きが必要になります

移換手続き、ですかー
ちょっとたいへんそう……

企業型DCのない会社の会社員
（国民年金第２号被保険者）

企業型DCのある会社の会社員
（国民年金第２号被保険者）

iDeCoで積み立てたお金を企業型DCに移したい場合は、「移換手続き」が必要。

自営業・フリーランス
（国民年金第１号被保険者）

iDeCoのデメリット①

積み立てたお金は60歳まで引き出せず、中途解約できない

iDeCoにはデメリットもあります。最も大きいのは、60歳までお金を引き出せないことです。

iDeCoに積み立てて運用したお金は、いつから受け取ることができるんですか？

加入期間が10年以上あれば、60歳から受け取れます。10年に満たない場合は、受け取り可能年齢が引き上げられます

加入期間によってもらえる年齢が変わる

通算加入者等期間

＝

1. iDeCoの加入者であった期間、および運用指図者であった期間。

＋

2. 60歳までの間に企業型DCの加入者、および運用指図者であった期間。

＋

3. ほかの企業年金等からDCに移換があった場合、その移換対象となった期間。

60歳までの通算加入者等期間	60歳
10年以上	
8年以上10年未満	
6年以上8年未満	
4年以上6年未満	
2年以上4年未満	
1ヵ月以上2年未満	
60歳以上で新規加入	

check!
60歳前でも受け取れるお金もある
…
障害給付金・死亡一時金
▶P186

iDeCoのお金は60歳まで
引き出せない

老後まで必要のない
余裕資金で積み立てるのが鉄則！

引き出せないからこそ、
確実に老後資金を
貯められるともいえます

急に必要になったときに、途中で解約して、お金を引き出すことはできますか？

中途解約して脱退一時金を受け取る例外はありますが、条件は厳しいです。基本的にiDeCoのお金は途中で引き出せないと考えましょう

受け取り開始可能年齢	75歳・・・
60歳〜75歳まで	
61歳〜75歳まで	
62歳〜75歳まで	
63歳〜75歳まで	
64歳〜75歳まで	
65歳〜75歳まで	
5年経過後〜75歳まで	

check!
75歳までに手続きをしないと
一時金受け取りになる
⋮
運用したお金の受け取り方
▶レッスン6・P162〜

受け取り開始可能年齢から75歳までの間で、自分で受け取り時期を決めて、請求手続きをする。

65歳以降は、受け取り開始可能年齢になるまで運用指図者となり、掛金は払わずに運用のみ行う。

脱退一時金：脱退一時金は、国民年金被保険者になることができない人で、通算の掛金拠出期間が短い、資産が少額であるなど、複数の要件をすべて満たす場合のみ、受給が認められる。

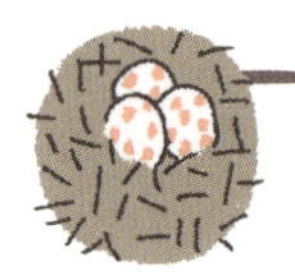

iDeCoのデメリット②

口座を管理する手数料はずっとかかる

iDeCoではいろいろな手数料がかかります。
「口座管理手数料」もその1つです。

老後の資金を貯める目的なら「引き出せない」ことはデメリットになりませんね！ すぐにiDeCoを始めます！

ちょっと待って。もう1つ大事なポイントがあります。実はiDeCoではさまざまな手数料がかかります。特に運用中、ずっとかかる口座管理手数料には要注意です

iDeCoでかかる手数料の目安

手数料は金融機関や商品によって異なります

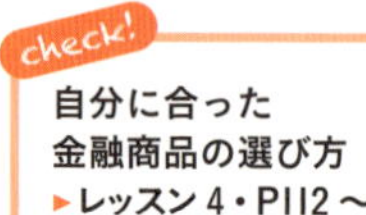

自分に合った金融商品の選び方
▶レッスン4・P112～

投資信託の手数料

投資信託を保有している間は、手数料（信託報酬）がかかる。解約時にも手数料（信託財産留保額）がかかることも。

加入時 → 運用時

加入時手数料

2829～3929円

check!

金融機関のかしこい選び方
▶レッスン3・P94～

口座管理手数料

年間2052～7332円※

※毎月掛金を拠出した場合の金額。掛金の拠出回数が少ない場合や運用指図者（P17）の場合は、この額に当てはまらないことも。

口座管理手数料や投資信託の手数料は
運用中、ずっとかかる

↓

掛金が少なかったり、運用利益が上がらない場合は、
資産が減ることもある

金融機関や金融商品によって手数料が
けっこうちがうんですね……

運用の利益が上がらなければ、結果的に手数料の分だけ、資産が減ってしまうこともあります。だから、iDeCoを始めるときには手数料が安い金融機関や金融商品を選ぶことが大切です

還付事務手数料
還付のたびに
1488～2148円

給付事務手数料
1回につき
385～440円

給付時

金融機関を
変更するとき
など

移換時手数料
0～
4400円

keyword

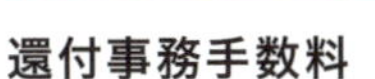

還付事務手数料

拠出された掛金を、加入者に払い戻すことを「還付」といい、それにかかる手数料が「還付事務手数料」です。たとえば、国民年金保険料を払っていない月は、iDeCoの加入者資格がありません。この間に拠出された掛金は、すべて還付されます。

また、法で定められた上限額を超えて拠出された掛金も、同様に還付されます。

特別法人税：企業年金の積立資産に課税されるもので、iDeCoの年金資産も対象となる。資産残高に対し、年1.173％課税されるが、課税凍結が繰り返されており、令和5年3月末まで凍結が決定している。

Q 住宅ローン控除を受けていてiDeCoを始めるとどうなる?

A もともと所得が少ない人では、住宅ローン控除のメリットが小さくなることがあります

▶ iDeCoでの所得控除が優先される

「住宅ローン控除（減税）」は、借り入れた住宅ローンの12月末時点の残高の1%が、所得税から控除される制度。控除期間は原則10年間です。

住宅ローン控除を受けている人が、iDeCoに加入するとどうなるのでしょうか。iDeCoの掛金は「所得控除」、住宅ローン控除は「税額控除」なので、税金の計算上、所得控除が優先されます。すると、iDeCoの掛金分、課税所得が少なくなって住宅ローン控除が差し引けなくなる、つまり控除の枠が残ってしまうことも。特に、所得が低くて納めるべき税金が少ない人は要注意です。

所得控除と税額控除

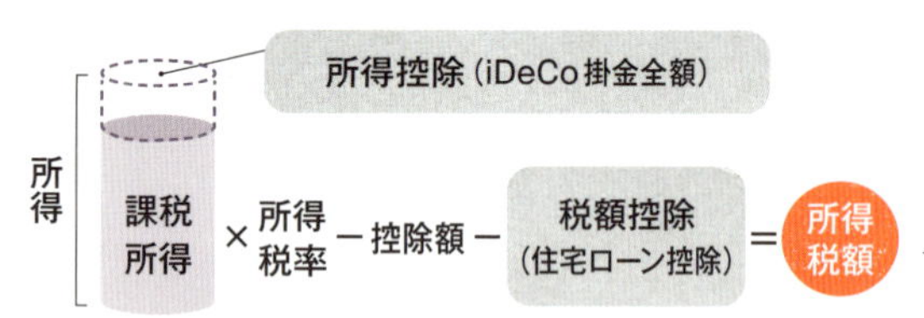

▶ 住宅ローン金利が1%未満なら、iDeCoでそれ以上の利益を目指す

もう1つの問題は、iDeCoの掛金を払うのと、住宅ローンを早くに返済するのとどちらがよいかです。これは、住宅ローン金利によってちがいます。

金利が1%台後半なら、借り換えの検討も含め、住宅ローンの返済を優先したほうがよいでしょう。金利が1%未満で、iDeCoの掛金を出す余裕があるなら、加入してもよいと思います。その場合は、投資信託による運用で、住宅ローン金利以上の利益を目指したいところです。

また、iDeCoは加入期間が長いほど、一時金での受け取り時の退職所得控除の枠が大きくなる（P166）ので、少額の掛金でも早めにiDeCoに加入して、住宅ローン控除の10年間が終了したら掛金を増やすという考え方もあります。

＊節税のために「ふるさと納税」を活用している場合、iDeCoを併用するとメリットがなくなったり、損をするケースがあるため、注意が必要です。

レッスン**1**

正しく知って不安をなくす

幸せな老後のための お金の準備

将来もらえるお金と
必要になるお金を知って、
どのように、いくら準備
するべきか考えよう

Lesson1
“なんとなく老後が不安”をほうっておかない！
ちょっとマスター
この記事見てよ～
なんですか？
こんなに
ムリだよ～
Magazin
これ！
老後に必要なお金
1億円
えーっ!?
1億円
ど、どうしよう……
あっあっ
とりあえず宝くじ
買ってきます！
?
宝くじ
?
?
あら マスター
急いでどこに？
あ先生
老後の…
1億… 宝くじ
マスター!!
宝くじ買ったって
老後の不安は
何も解消されませんよ
ですよね

そもそも宝くじって
配当率はたったの47%
売上から当選金に
使われるのは47%しかないんですよ
残りは主催者側の
もうけなんです
宝くじ
配当率
当選金
47%
主催者の
もうけ
そうなんだ
……
でもなんか
不安になっちゃって……
年金も危ないって聞くし
不安な気持ちは
よくわかります
このくらい?
こわい
危険度
このくらい?
危険度
でも不安なのは
老後の生活が
どのくらい危ないか
わからないからじゃ
ないですか?
まずは
どのくらい危ないのかを
知ることが大事!!
それから
どうすればいいかを
考えていきましょう
これなら!!
いけそう
宝くじ以外でねっ
ですね
テヘ♥
くるっ

どうする？ 老後のお金

リタイア後を支える収入源を把握しよう

どんな老後を過ごしたいか、お金はどうするか、
具体的に考えてみましょう。

マスターは年をとって引退したら、どんなふうに過ごしたいですか？

うーん、おいしいコーヒーを飲みながら音楽を聴いたりして、ゆっくりしたいなぁ

マスター、今でもよくコーヒーを飲みながら音楽を流してボーっとしていますよね……

まぁまぁ。ゆったり老後を過ごすには、それなりの“お金”が必要。iDeCoを考える前に、老後のお金について、知っておいてください

▶老後は誰にでもやってくる

人生には、進学や就職、結婚、出産、住宅購入など、さまざまなライフイベントがあります。ライフイベントの実現にはお金が必要ですが、全員が必要なわけではありません。進学しない人もいれば、結婚しない人もいますから。

けれども、老後は誰にでも訪れるもの。いつまで生きるかは誰にもわかりませんから、老後資金は、誰もが用意しておかなければならないのです。老後の生活を支えるお金はおもに、「仕事による収入」「公的年金」「企業の年金」「自分の預貯金など」の４つがあります。

老後の生活を支えるお金はおもに4つ

1. 仕事による収入

定年を延長する企業の増加や高年齢者雇用安定法の改正などで、定年以降も働く人が増加。総務省「労働力調査」によると60〜64歳の71.0%が働いている。

2. 公的年金

国が管理・運営する年金制度。国民全員の加入が義務付けられている国民年金と、会社員・公務員が加入する厚生年金がある。

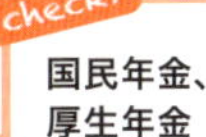

3. 企業の年金

企業が管理・運営する年金制度で、種類はさまざま。従来は厚生年金基金や確定給付年金が多かったが、最近は企業型確定拠出年金が増えている。

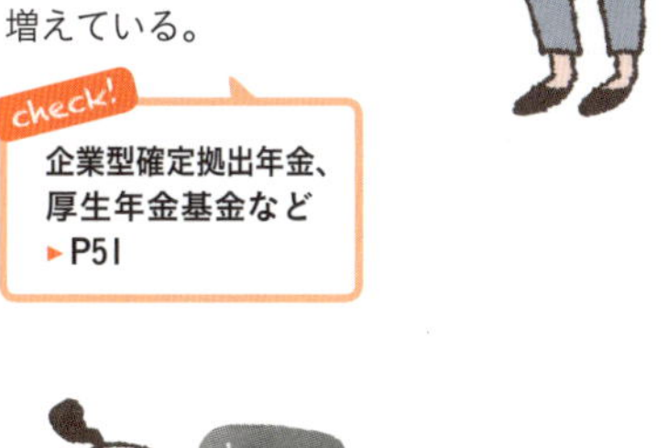

check!
企業型確定拠出年金、
厚生年金基金など
▶P51

4. 自分の預貯金など

個人で用意する老後資金。用意する方法としては、民間の個人年金保険やiDeCoのほか、自営業の人では、国民年金基金や小規模企業共済などもある。

check!
iDeCo、
個人年金保険など
▶P62
国民年金基金、
小規模企業共済など
▶P66

break time

国が変われば老後資金もちがう!?

右の表は各国の60歳以上の男女を対象に、老後生活費のおもな収入源について調査したものです。

最も重要な収入源を1つだけ答えてもらったところ、いずれも「公的年金」がトップ。日本は、仕事による収入が2位、私的な年金、財産からの収入などは、ほかの国に比べて低くなっています。

	日本	アメリカ	ドイツ	スウェーデン
仕事による収入	20.8	17.3	16.2	15.8
公的な年金	67.4	53.5	69.9	45.7
私的な年金（企業年金など）	1.7	11.3	3.0	2.2
預貯金などの引き出し	3.1	3.1	2.2	0.3
財産からの収入（利子、配当金、家賃、地代など）	2.1	7.8	2.9	0.3
子どもなどからの援助	1.0	0.5	0.6	—
生活保護	1.0	0.9	2.7	0.7
その他	1.0	3.6	1.9	1.8

(%)

資料：内閣府『高齢者の生活と意識に関する国際比較調査』（令和2年度）

老後を支えるお金①

生きている限り ずっともらえる公的年金

老後の生活の大きな支えとなるのが公的年金ですが、
どんな制度なのか、知らない人も多いようです。

ずっともらえる公的年金って、国民年金のことですか？

公的年金とは、国からもらえる年金のことです。国民年金と厚生年金があり、生きている限りずっともらえます。ただ、働き方によってもらえる年金の種類や金額は変わります

▶自営業者は「国民年金」、会社員や公務員は「国民年金＋厚生年金」

日本に住んでいるすべての人は、20歳になると「国民年金」に加入しなければなりません。原則として、国民年金保険料を60歳までの40年間、払うことになります。保険料を納めた期間に応じて、将来、老齢基礎年金がもらえます。

会社員や公務員は、国民年金に加えて「厚生年金」に加入します。受給要件を満たせば、国民年金に上乗せして、老齢厚生年金がもらえます。厚生年金の保険料は勤め先と半分ずつ、負担します。保険料をいくら払っているかわからなければ、給与明細の「厚生年金保険料」の欄を見てみましょう。この厚生年金保険料のなかに、国民年金の保険料も含まれています。

自営業者などで、国民年金にだけ加入している人を「第１号被保険者」、会社員や公務員で、国民年金と厚生年金に加入している人を「第２号被保険者」といいます。また、会社員や公務員に扶養されている配偶者は「第３号被保険者」となり、国民年金にだけ加入し、保険料の負担はありません。

公的年金の“しくみ”と“種類”

公的年金には「国民年金」と「厚生年金」の2つがある。20〜60歳未満の全員が加入する「国民年金」が基礎となり、会社員や公務員には「厚生年金」が上乗せされている。

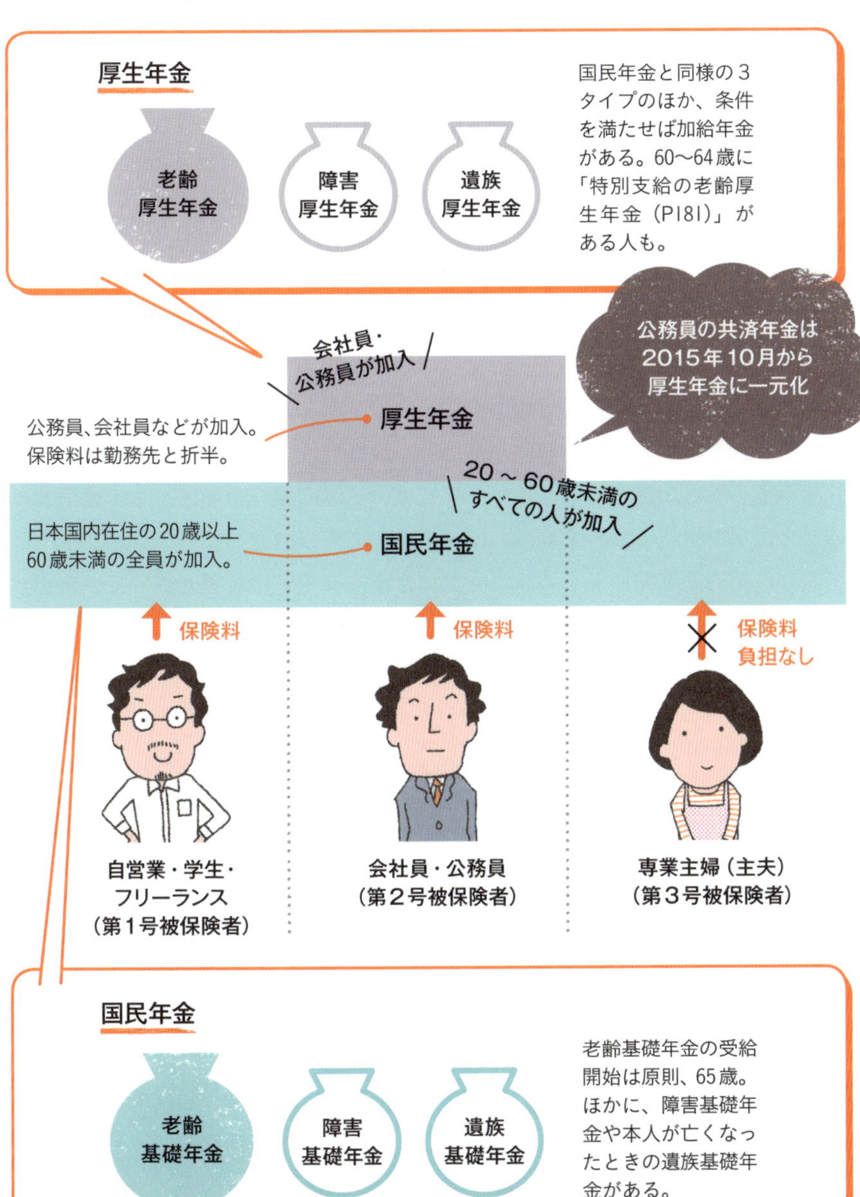

加給年金：厚生年金の扶養手当のようなもの。厚生年金に20年以上加入、65歳時点で65歳未満の配偶者または18歳未満の子どもを扶養している場合に加算。配偶者が65歳になると停止。

「公的年金が危ない」とか「将来、年金なんてもらえない」ってよく聞くけど……

ある日、突然年金資産がなくなることはありません。ただ、少子高齢化が急速に進んでいるため、年金額は少なくなるでしょう

▶自分で払ったお金を将来もらうわけではない

私たちは毎月、保険料を払っていますが、将来、それをそのまま年金としてもらうわけではありません。今払っている保険料は、高齢世代の年金支払いにあてられています。私たちが高齢世代になったときは、そのとき現役世代の保険料を財源として、年金をもらいます。このようなシステムが「賦課方式」。

しかし、このまま少子高齢化が進むと、現役世代の保険料収入だけでは、十分な年金を給付できなくなります。そこで、一定の積立金を保有して運用することで、現役世代の負担を軽減しています。また、財源とのバランスから、年金額を自動的に調整するしくみ（マクロ経済スライド）も導入されています。

現役世代で高齢者を支える

現役世代の保険料が、高齢世代の年金の財源になる。一部は積立金として、「年金積立金管理運用独立行政法人（GPIF）」が管理・運用している。

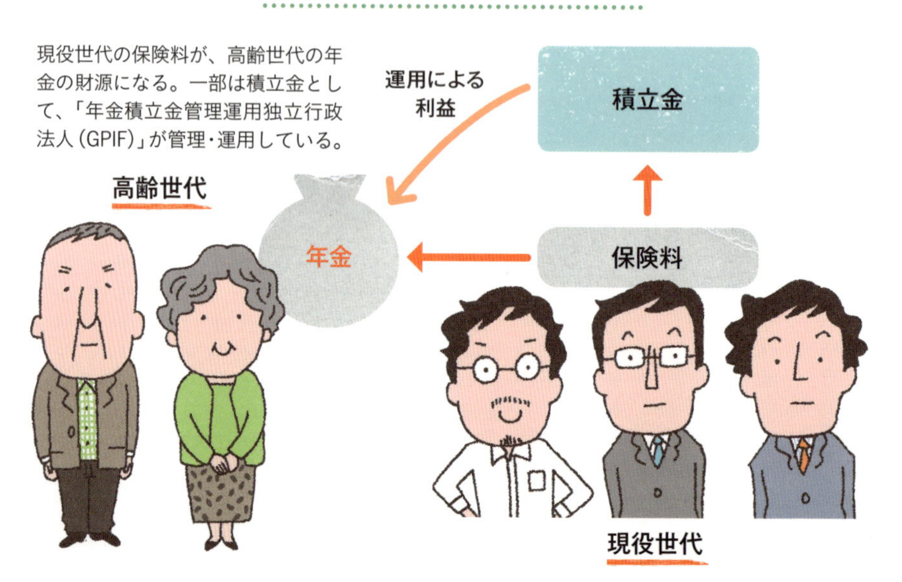

将来もらえる年金はどのくらい？

現在（令和元年度）

所得代替率
61.7% ＝22.0万円

財政検証によると、将来的なモデル世帯の所得代替率は、経済が高成長する場合は51.9%。経済が低成長で、かつ年金財政のバランス調整を行うと44.5%となる見通し（金額は現在の貨幣価値で換算）。

所得代替率

＝ 現役世代の手取り収入に対する受け取り開始時における年金額の割合

40年間
会社員 ＋ 40年間
専業主婦

モデル世帯

40年間、平均収入（手取り月額35.7万円）で厚生年金に加入した夫と、専業主婦の妻の世帯。

経済が高成長の場合

所得代替率
51.9% ＝18.5万円

経済が低成長の場合

所得代替率
44.5% ＝15.9万円

積立金がなくなった場合

所得代替率
36～38% ＝12.9～13.6万円

（厚生労働省「令和元年財政検証」より作成）

▶ モデル世帯で、現役世代収入の約50%が目安

年金の積立金は、およそ100年かけて使っていくよう計画されています。ですから年金が突然ゼロになることはありませんが、これからの将来、減っていくのは免れないでしょう。

では、実際どのくらいになるのでしょうか。

モデル世帯における現在の年金額（夫の老齢厚生年金＋夫婦の老齢基礎年金）は、22.0万円（令和元年度）です。これは、現役世代の手取り収入に対する割合（所得代替率）で考えると、61.7%になります。

国の財政検証によれば、将来的な所得代替率は、経済が高成長した場合で51.9%、つまり現役世代の収入の半分程度になると見込まれています。

50歳以上の人は
ねんきん定期便で
年金見込み額が
わかります （P49）

財政検証：公的年金制度の財政が健全かどうかを定期的に検証するもの。財政状況は出生率や寿命、賃金上昇率、物価などで変わるため、複数のパターンでシミュレーションが行われる。

Case study
公的年金

いつから、どのくらいもらえるの？

公的年金がいつからどのくらいもらえるかは、加入期間や収入などで異なります。具体的なケースを見てみましょう。

Case1 会社員で共働き（妻が3歳年下）

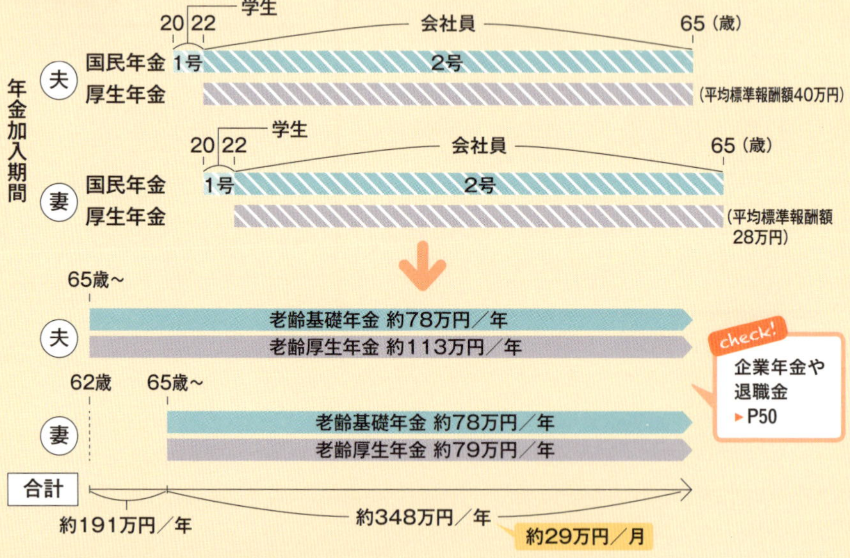

check!
企業年金や退職金
▶P50

夫婦で老齢基礎年金と老齢厚生年金があるケース。平均支出（月額27万1000円）から考えると、2人とも年金受給者になれば生活費は問題ない。

会社員の共働きだと大丈夫そうですね

でも夫の定年後、2人の年金がそろう（上図だと夫65～68歳）までの準備は必要ですよ

＊いずれのケースも、上記の設定（60～65歳は公的年金の給付なし）のもと、あくまでも現在の制度にもとづく目安額であり、実際の受給額は制度によって異なる。

Case2 自営業で共働き（同年齢）

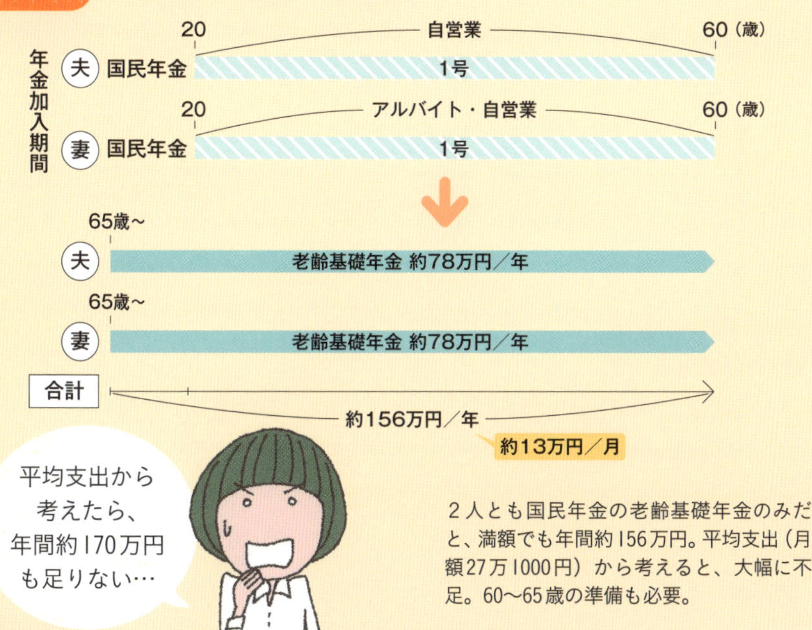

２人とも国民年金の老齢基礎年金のみだと、満額でも年間約156万円。平均支出（月額27万1000円）から考えると、大幅に不足。60～65歳の準備も必要。

Case3 夫が会社員の夫婦（妻が２歳年下）

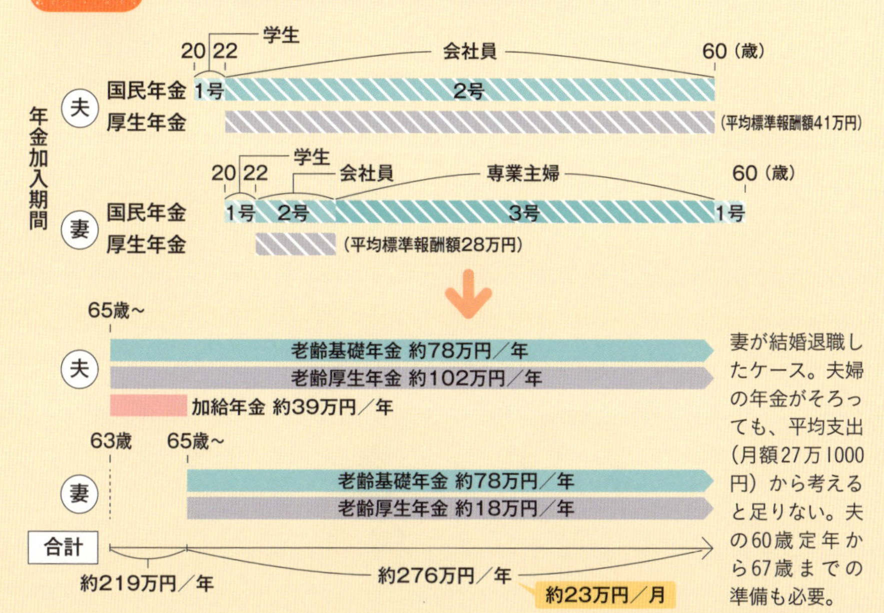

妻が結婚退職したケース。夫婦の年金がそろっても、平均支出（月額27万1000円）から考えると足りない。夫の60歳定年から67歳までの準備も必要。

＊老齢基礎年金の年額は「令和３年度の満額780900円」とし、老齢厚生年金の年額は「平均標準報酬額×給付乗率0.005481×被保険者期間月数」で算出。

check!
公的年金

ねんきん定期便で公的年金を確認しよう

こんなハガキや封筒で届きます

毎年、誕生月に送られてくる「ねんきん定期便」。
公的年金の大切な情報が詰まっています。

50歳未満の人

STEP1 年金加入期間を確認する

加入していた年金の種類と、加入期間を確認する。

STEP2 受給資格期間を確認する

受給資格期間が10年（120月）以上あるかどうかを確認する。

1．これまでの保険料納付額（累計額）

（1）国民年金保険料（第1号被保険者期間）	円
（2）厚生年金保険料（被保険者負担額）	
一般厚生年金期間	円
公務員厚生年金期間	円
私学共済厚生年金期間	円
（1）と（2）の合計	円

この定期便は、下記時点のデータで作成しています。
納付記録がデータに反映されるまで日数がかかることがあります。

国民年金および一般厚生年金期間	公務員厚生年金期間（国家公務員・地方公務員）	私学共済厚生年金期間（私立学校の教職員）

「ねんきん定期便」の見方は、
ねんきん定期便　見方　検索

2．これまでの年金加入期間（老齢年金の受け取りには、原則として120月以上の受給資格期間が必要です）

国民年金（a）			船員保険（c）	年金加入期間 合計（未納月数を除く）(a+b+c)	合算対象期間等 (d)	受給資格期間 (a+b+c+d)
第1号被保険者（未納月数を除く）	第3号被保険者	国民年金 計（未納月数を除く）				
月	月	月	月			
厚生年金保険（b）						
一般厚生年金	公務員厚生年金	私学共済厚生年金	厚生年金保険 計			
月	月	月	月	月	月	月

3．これまでの加入実績に応じた年金額
（今後の加入状況に応じて年金額は増加します※表面の図もご覧ください）

（1）老齢基礎年金	円
（2）老齢厚生年金	
一般厚生年金期間	円
公務員厚生年金期間	円
私学共済厚生年金期間	円
（1）と（2）の合計	円

お客様のアクセスキー

※アクセスキーの有効期限は、本状到着後、3カ月です。

右のマークは目の不自由な方のための音声コードです。

STEP3 年金額を確認する

これまでの加入実績に応じて試算された年金額（老齢基礎年金＋老齢厚生年金）。加給年金（P43）や厚生年金基金（企業年金P51）は合算されていない。

どうしよう!!
ぼくの年金、
思っていたより
ずっと少ないんだけど…

大丈夫ですよ。
50歳未満の人はこれまでに払った保険料だけで掲載しているので、実際より少なくなっているんです

50歳以上の人

STEP1 年金加入期間を確認する

加入していた年金の種類と、加入期間を確認する。

STEP2 受給資格期間を確認する

受給資格期間が10年（120月）以上あるかどうかを確認する。

2．これまでの年金加入期間（老齢年金の受け取りには、原則として１２０月以上の受給資格期間が必要です）

国民年金（a）			船員保険（c）	年金加入期間 合計（未納月数を除く）（a＋b＋c）	合算対象期間等（d）	受給資格期間（a＋b＋c＋d）
第１号被保険者（未納月数を除く）	第３号被保険者	国民年金 計（未納月数を除く）				
月	月	月	月	月	月	月
厚生年金保険（b）						
一般厚生年金	公務員厚生年金	私学共済厚生年金	厚生年金保険 計			
月	月	月	月			

3．老齢年金の種類と見込額（年額）（現在の加入条件が60歳まで継続すると仮定して見込額を計算しています）

受給開始年齢	歳～	歳～	歳～	歳～
（1）基礎年金				老齢基礎年金 円
（2）厚生年金	特別支給の老齢厚生年金	特別支給の老齢厚生年金	特別支給の老齢厚生年金	老齢厚生年金
一般厚生年金期間		（報酬比例部分） 円	（報酬比例部分） 円	（報酬比例部分） 円
		（定額部分） 円	（定額部分） 円	（経過的加算部分） 円
公務員厚生年金期間	（報酬比例部分） 円	（報酬比例部分） 円	（報酬比例部分） 円	（報酬比例部分） 円
	（定額部分） 円	（定額部分） 円	（定額部分） 円	（経過的加算部分） 円
	（経過的職域加算額（共済年金）） 円	（経過的職域加算額（共済年金）） 円	（経過的職域加算額（共済年金）） 円	（経過的職域加算額（共済年金）） 円
私学共済厚生年金期間	（報酬比例部分） 円	（報酬比例部分） 円	（報酬比例部分） 円	（報酬比例部分） 円
	（定額部分） 円	（定額部分） 円	（定額部分） 円	（経過的加算部分） 円
	（経過的職域加算額（共済年金）） 円	（経過的職域加算額（共済年金）） 円	（経過的職域加算額（共済年金）） 円	（経過的職域加算額（共済年金）） 円
（1）と（2）の合計	円	円	円	円

※一般厚生年金期間の報酬比例部分には、厚生年金基金の代行部分を含んでいます。
※年金見込額は今後の加入状況や経済動向などによって変わります。あくまで目安としてください。

「ねんきん定期便」の見方は、 ねんきん定期便　見方 検索

お客様のアクセスキー

右のマークは
目の不自由な
方のための
音声コードです。

STEP3 受給開始年齢を確認する

いつから年金をもらえるのかを確認する。

STEP4 年金額を確認する

60歳まで加入した場合の年金額。現在の給料や賞与が変わらないものとして試算されている。ただし、加給年金や厚生年金基金は合算されていない。

keyword

ねんきんネット

ねんきんネットは日本年金機構が提供するサービス。いつでもネット上で年金情報を確認できるだけでなく、年金見込み額の試算がとても便利。今後の働き方や老齢年金を受け取る年齢、未納分を納付した場合など、細かい条件を入力して、年金見込み額を試算することができます。

ねんきんネットで申し込んで、ユーザーIDを取得すれば利用できます。

年金の計算が
できる！

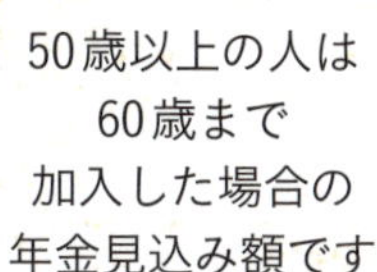
50歳以上の人は
60歳まで
加入した場合の
年金見込み額です

老後を支えるお金②

会社からもらえる退職金や企業年金

退職金や企業年金も、老後生活の柱となるもの。
制度や内容など確認しておきましょう。

会社員や公務員は、公的年金に加えて勤務先からもらえる退職金や企業年金がありますね

安心感があってうらやましいな。ぼくは自営業だからもらえないし関係ない……

まぁまぁ。人生何があるかわからないから、話を聞いておきましょうよ！

▶「確定給付企業年金」と「企業型確定拠出年金」が多い

退職金の起源は、長年、奉公した使用人に営業権や資金を分け与える“のれん分け”にさかのぼるといわれています。これが、寿命がのびるにつれて、老後の生活保障という意味合いが強くなり、「企業年金」が生まれてきました。

退職金や企業年金制度は社会状況に応じて整備・修正されており、現在はおもに右図の４種類があります。なかでも多いのが、将来もらえる金額が決まっている「確定給付企業年金（DB（ディービー））」ですが、近年は「企業型確定拠出年金（企業型DC）」が増えています。

DBは資金運用がうまくいかなくても、企業は約束した金額を支払わなくてはなりません。けれども、企業型DCは掛金額が決まっているだけで、運用は従業員に任せています。運用がうまくいかなくても、企業は年金資金を補う必要がないため、今後も増えていくと考えられます。

確定給付企業年金 ＝ もらえる金額が決まっている企業年金
(Defined Benefit Plan＝DB)

企業型確定拠出年金 ＝ 企業が決まった額の掛金を払う年金
(企業型DC)

退職金や企業年金のおもな制度

加入者数約940万人

確定給付企業年金（DB）

もらえる金額が決まっている企業年金制度。掛金は全額会社が負担（一部、加入者負担も可）。会社の責任で運用を行い、年金資金が不足すれば会社が負担する。

・給付方法

企業によって異なる。一時金、5年以上の有期年金、終身年金などがある。

加入者数約688万人

企業型確定拠出年金（企業型DC）

会社が払う掛金が決まっている企業年金制度。加入者（社員）が運用の責任を負い、運用次第で年金額が変わる。加入者の掛金追加（マッチング拠出）ができることも。

・給付方法

企業によって異なる。一時金や年金として、自分の運用口座から引き出す。

加入者数約16万人

厚生年金基金

単独、または複数の企業で厚生年金基金を設立し、管理・運用を行う。国の厚生年金の一部を代行し、企業独自の給付を上乗せして支給する。

・給付方法

一定の条件を満たせば原則として終身年金が支給される。一時金での受け取りも可。

加入者数約344万人

中小企業退職金共済制度

中小企業のための退職金共済制度。会社が全額、掛金を払い、独立行政法人勤労者退職金共済機構が、資産の管理や運用、給付を行う。

・給付方法

退職時に一時金、または分割払いで給付。

勤務先の人事・
総務担当者に
確認してみましょう

＊加入者数は2019年3月時点。

老後を支えるお金③

自分で準備する老後資金

公的年金や企業年金で足りない分は自分で準備が必要。
みなさんは、どうやって準備しているのでしょうか。

調査によると、自分で老後資金を準備している人は、65.9％いるそうです

えっ！！ そんなにいるの？
ぼく何も準備してないよ……

不安はわかりますが、マスターは老後資金よりランチの仕込みを早くやってください

▶30歳代でも半分以上が老後のための準備をしている

以前は、公的年金だけで“悠々自適の老後”を過ごすことができました。

けれども、少子高齢化が急速に進み、公的年金の支給開始年齢は60歳から65歳に引き上げられ、年金額は減少傾向にあります。多くの人が「年金はいくらもらえるかわからない」「老後が不安」と思っています。では、その不安を取り除くために、何か具体的な準備はしているのでしょうか。

生命保険文化センターの調査によると、全世代で何らかの老後資金の準備をしている人は65.9％、準備をしていない人は31.3％となっています。世代別に見ると、30歳代でも半分以上の人が、老後資金の準備をしているという結果が出ています。この結果を見て「自分は何も準備していない！」と焦る人もいるかもしれませんが、大丈夫。まだできることはあります。気づいたときから、少しずつでも準備を始めることが、将来の安心につながります。

老後資金の準備はどうしてる?

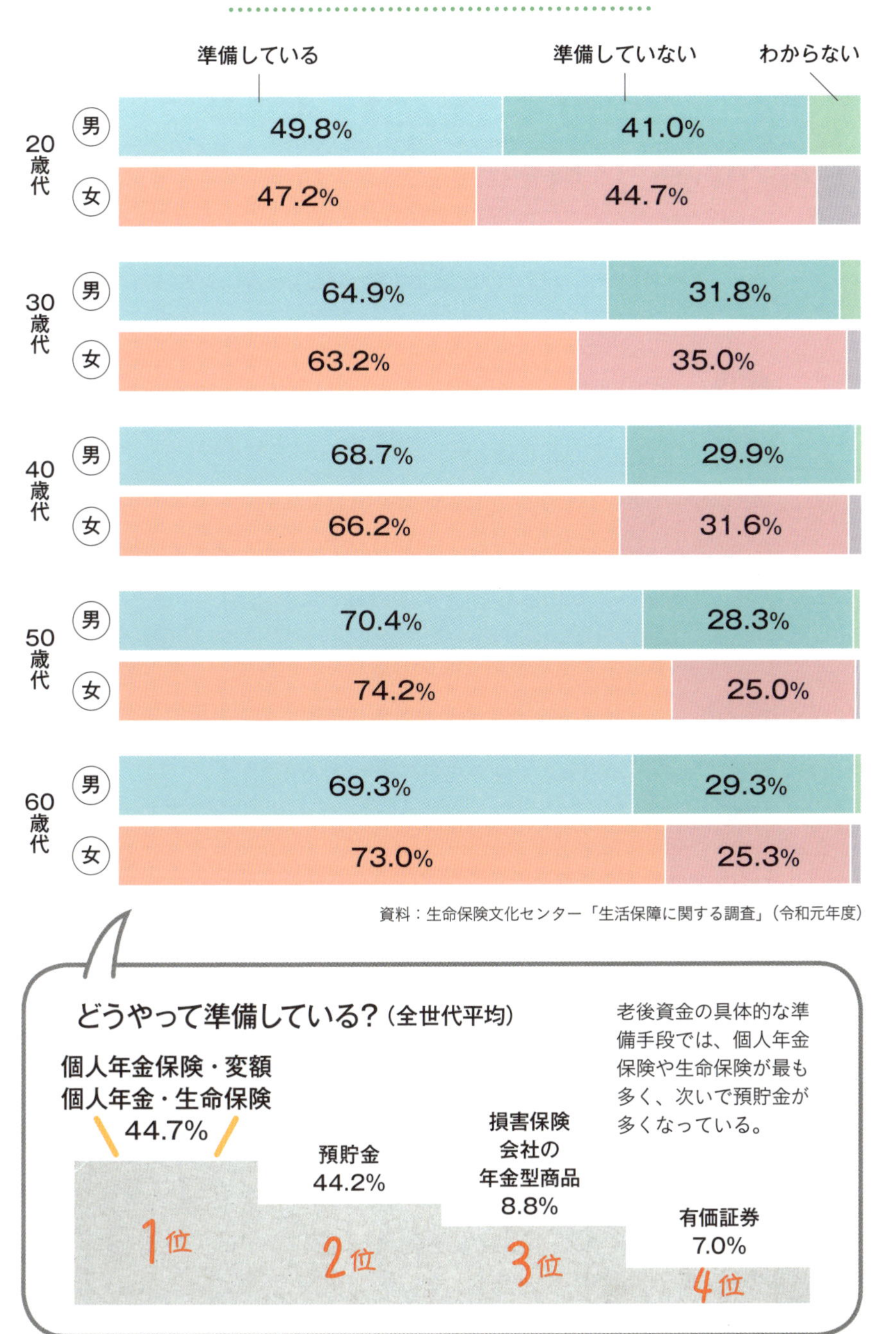

老後資金の具体的な準備手段では、個人年金保険や生命保険が最も多く、次いで預貯金が多くなっている。

老後のお金の現実

公的年金だけでは夫婦世帯で月約3万3000円の赤字

老後の生活には、どのくらいお金がかかるのでしょうか。
データを参考に自分の生活をイメージしてみましょう。

年をとったら、そんなにお金は使わなさそうだけど、実際はどのくらいかかるんですか？

夫婦世帯の平均だと、月に約27万1000円かかっています。収入は約23万8000円なので毎月3万3000円の赤字ですね

そうすると、年間で約40万円の赤字でしょ。100歳まで生きたら、約1600万円！！

▶公的年金だけでは、最低限の生活もまかなえない

調査によると、高齢無職の夫婦世帯の平均支出は、1ヵ月約27万1000円。これに対して平均収入は約23万8000円です。つまり、毎月約3万3000円の赤字になっています。シングル世帯でも、毎月約2万7000円の赤字。公的年金だけでやりくりをするのは厳しいという現実がはっきりしますね。

調査では持ち家の人も含まれているので住居費が少なくなっていますが、賃貸住まいの人やローンがある人は、もっとかかるでしょう。自家用車があれば維持費がかかりますし、自宅の改修が必要になる人もいるかもしれません。

一般に、老後の生活には、現役時代の6～7割程度のお金がかかるといわれています。自分の老後生活を具体的に考え、公的年金や企業年金で足りない分は、自分で準備する、つまり「自分年金」をつくることを考えていきましょう。

リタイアメント世代の家計はこうなっている

夫婦　夫65歳以上、妻60歳以上の無職世帯

毎月約3万3000円の赤字！

収入 約23万8000円

- 公的年金など 約21万7000円
- その他

支出 約27万1000円

- 税金など 約3万円
- 食費 約6万6000円
- 住居 約1万4000円
- 光熱水道 約2万円
- 交通・通信 約2万8000円
- 教養・娯楽 約2万5000円
- 保険・医療 約1万6000円
- その他

シングル　60歳以上の単身無職世帯

毎月約2万7000円の赤字！

収入 約12万5000円

- 公的年金など 約11万1000円
- その他

支出 約15万2000円

- 税金・保険料など 約1万2000円
- 食費 約3万6000円
- 住居 約1万3000円
- 光熱水道 約1万3000円
- 交通・通信 約1万3000円
- 保健・医療 約8000円
- 教養・娯楽 約1万7000円
- その他

“ゆとり”のためには最低日常生活費以外に月額平均14万円が必要！

旅行やレジャー、身内との付き合い、趣味や教養、日常生活費の充実、家財などの買い替え、子どもや孫への資金援助などの“ゆとり費”として月額平均14万円が必要とされる。

資料：総務省・家計報告調査（令和元年）、生命保険文化センター「生活保障に関する調査」（令和元年12月発行）

check!
未来のお金

ライフプランシートで必要なお金を確認しよう

人生で必要なお金は老後資金だけではありません。
ライフプランシートでお金の見通しを立てましょう。

夢や希望を書いてみよう

STEP1
西暦と家族の年齢を記入する

STEP2
ライフイベントを記入する

子どもの入学・卒業、就職、結婚、住宅購入などのライフイベントや、やりたいことを書いてみよう。

年	家族の年齢				ライフイベント	かかるお金
	夫	妻	長男	長女		
2021	45	44	12	7	長女小学校入学	7万円
2022	46	45	13	8	長男中学校入学	10万円
2023	47	46	14	9		
2024	48	47	15	10	家族旅行	10万円
2025	49	48	16	11	長男高校入学	20万円
2026	50	49	17	12		
2027	51	50	18	13	長女中学校入学	10万円
2028	52	51	19	14	長男大学入学	100万円

STEP3
ライフイベントにかかるお金を記入する

ライフイベントにかかるお金を記入する。ざっくりとわかる範囲でOK。

大体の金額でOK!

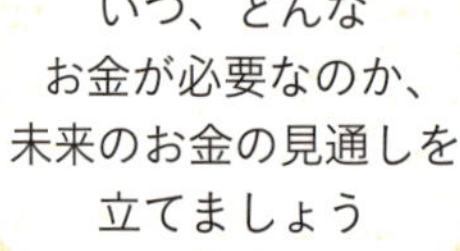

いつ、どんな
お金が必要なのか、
未来のお金の見通しを
立てましょう

主なライフイベントの平均費用例

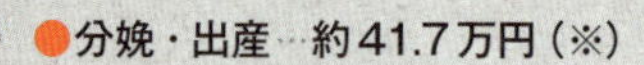

- **分娩・出産**…約41.7万円(※)
- **結婚**…約470万円
  (結納、婚約から挙式、新婚旅行まで)
- **住宅購入**(新築)
  - 土地付注文住宅…約3900万円
  - 建売住宅…約3320万円
  - マンション…約4250万円
- **教育費**(公立)
  - 中学校…年間 48万円
  - 高校…年間 約41万円
  - 大学(国立)…4年間 約440万円(自宅通学)
    4年間 約686万円(下宿)

※健康保険から出産育児一時金が一児につき、42万円支給される。

○○家のライフプランシート

年	家族の年齢						ライフイベント	かかるお金

check!
自分年金の目標額

あなたの自分年金、いくら必要？

60歳から90歳までの老後の収入と支出から、
自分年金の目標額をシミュレーションしてみましょう。

STEP1 老後の収入を確認

check!
ねんきん定期便、
ねんきんネット
▸P48

60歳から90歳までの老後の収入を確認する。夫婦世帯なら二人の収入を合算する。

公的年金

[㊇(　　　　)万円/年＋㊛(　　　　)万円/年]×30年＝(　　　　)万円

夫婦で年齢差がある場合、年下のほうの公的年金収入は下記で算出する。
(　　　　)万円/年×(30－夫婦の年齢差)

退職金

(　　　　)万円

企業年金など

(　　　　)万円

その他の収入

(　　　　)万円

[　　　　　]万円

STEP2 老後の支出を確認

毎月の生活費（60～90歳到達までの30年間）に、イベント費（住宅改修、車の買い替え、旅行、介護費用）などを加え、老後の大体の支出を出す。

生活費

(　　　　)万円/月×12ヵ月×30年＝(　　　　)万円

(　　　　)万円

[　　　　　]万円

STEP3 支出から収入を引く

STEP2支出		STEP1収入		自分年金の目標額	
	－		＝		万円

例）　会社員で共働きの夫婦（同年齢で以下の設定）の場合※

STEP1　公的年金（夫婦で328万円／年×30年＝9840万円）＋退職金（1500万円）　計1億1340万円
STEP2　生活費（30万円／月×12ヵ月×30年＝1億800万円）＋イベント費（1500万円）　計1億2300万円
STEP3　1億2300万円－1億1340万円＝960万円

※公的年金の額は、あくまでも現在の制度にもとづく目安額であり、実際の受給額は制度によって異なる。

レッスン2

初心者でもこれならわかる

iDeCoで始める資産運用

iDeCoのほかにも
魅力的な制度はさまざま。
自分に合った運用方法を
検討してみましょう

Lesson2

お金に働いてもらってお金を増やす？

自分年金がどのくらい必要かは
わかったけど……

あんな大金どうやって
つくるの？
今からできる？

マスター!!

お金を増やすには
どうしたらいいと
思いますか？

先生!!

パンッ

売上を増やすとか
経費を減らすとか？

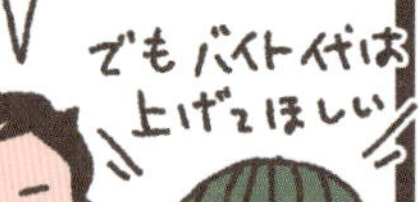

そうです
「収入を増やす」か
「支出を減らす」んですね

でも
もう１つ方法が
あるんです

支出DOWN

それは「資産運用」

手もとにあるお金に働いてもらって
お金を増やすんです
貯蓄だけでなく**投資**をするということ

お金に働いてもらう
資産運用かぁ～

考えたこと
なかったです

iDeCo では貯蓄も投資もできます
貯蓄は銀行預金が代表的ですが
今の金利ってどのくらいか知っていますか？
貯蓄
iDeCo
投
資
うーん
確か
0.01% とか
0.02% とか？
そうですね
その金利だと
銀行に 100 万円預金した場合
200 万円になるまで
7200 年かかるんです
72の法則
72 ÷ 0.01 = 7200
金利
お金が2倍になる年数
7200 年!?
化石になっちゃうよ
ひゃー
な.な.な.な
でも
利回り 3 %の投資信託に投資したら
24 年で 200 万円になりますね
72 ÷ 3 = 24
ぜんぜんちがうっ
なので、自分年金をつくるなら
投資も考えてみてください
自分年金をつくる方法は
iDeCo 以外にもありますから
比べてみましょう
投資
ハーイ

自分年金のつくり方①

節税効果で選ぶなら iDeCoがおすすめ

自分年金をつくるにはどんな方法があるでしょうか。
まず会社員や公務員の人の方法を考えてみます。

自分で年金をつくる方法としてはiDeCoのほかに、民間の個人年金保険や会社の財形（ざいけい）年金貯蓄、そしてNISA（ニーサ）（P90）があります。2018年からはつみたてNISAという制度も始まりました

いろいろな方法があるんですね。
でも、何だか難しそう……

▶自分で運用するのはiDeCoとNISA

会社員や公務員の人が、自分年金をつくる方法を考えていきましょう。おもに、iDeCo、民間の個人年金保険、会社の財形年金貯蓄、NISAの４つの方法があると思います。

まずポイントとなるのは、自分で運用するかどうかです。自分で運用するのは、iDeCoとNISAです。また、ごく一部ですが、民間の個人年金保険には自分で運用商品を選ぶタイプ（変額）もあります。

NISAにはいくつか種類がありますが、自分年金づくりには、2018年から始まったつみたてNISAがおすすめです。たとえばつみたてNISAでは、年間40万円までを非課税で運用できます。iDeCoと同じように自分で金融商品を選んで、長期間積み立てていくものですから、初心者でも大丈夫。ただ、運用の基本的な知識は身につけてください。運用次第で、資産が減ることもあれば、増えることもあります。

変額個人年金保険：民間の保険会社が販売する個人年金保険の１つ。将来もらえる年金額が決まっている定額タイプに対し、運用次第でもらえる年金額が変わるタイプを変額個人年金保険という。

次は運用期間を見ていきましょう。iDeCoは60歳までお金を引き出すことはできませんが、ほかの方法は中途解約も可能です

▶NISAはいつでもお金を引き出せる

iDeCoは原則、60歳になるまでお金を引き出すことはできません。一方、たとえばつみたてNISAの非課税期間は最長20年ですが、途中いつでもお金を引き出すことができます。ここがiDeCoとの大きなちがいです。

民間の個人年金保険はいつでも解約して、解約返戻金を受け取ることができますが、タイミングによっては払い込んだ保険料より少なくなることがあります。つまり、元本割れすることがあるので、注意してください。

財形年金貯蓄も、途中でお金を引き出すことはできますが、特例を除いて、過去5年間の利息に20%課税されます。

iDeCoのいちばんのメリットは、節税効果ですよね。ほかの方法ではどうなんですか？

個人年金保険は、条件を満たせば掛金の一部が控除できます。NISAは運用利益が非課税です

▶拠出時、運用中、給付時に節税メリットがあるのは、iDeCoだけ

iDeCoは引き出しの制限がある分、節税メリットが大きくなっています。掛金は全額、所得控除の対象となりますし、運用利益に通常約20%かかる税金はゼロ。お金を受け取るときも、退職金や公的年金と同じような優遇措置があります。拠出時、運用中、給付時に節税メリットがあるのはiDeCoだけです。老後資金を貯めるのと同時に、節税もしたいという人はiDeCoがよいでしょう。

NISAも、運用利益が非課税となりますが、拠出時の節税メリットはありません。個人年金保険は、最大で年間4万円までの掛金が所得控除となり、税金が安くなります。財形年金貯蓄は元本550万円まで利息が非課税となります。それぞれの特徴を一覧表（次ページ）で確認してみましょう。

財形年金貯蓄の払い出しの特例：家屋が災害などによる被害を受けた場合や医療費が年間200万円を超えた場合、一定の条件に当てはまるときは、年金目的以外でも非課税で払い出すことができる。

会社員、公務員の 自分年金のつくり方　一覧表

		iDeCo	個人年金保険（確定型）
特徴		個人が決まった額の掛金を出して、自分で商品を選んで運用する。運用したお金を、将来、一時金や年金として受け取る。	保険料を払い込むと、将来年金が受け取れる保険商品。もらえる年金額が決まっている定額のものが多い。
加入できる人		20歳以上65歳未満	原則誰でもOK
運用方法		自分で運用する（元本が確保される商品あり）	自分で運用しない
期間		65歳まで	60歳までが多い
手数料		口座管理手数料や金融商品の手数料がかかる（check! ▶P34）	かからない
中途解約		×原則できない	○できる
節税メリット	掛金を払う時	◎全額が所得控除（check! ▶P22）	○所得控除あり 年間の払込保険料に応じて控除額が決まる。年間8万円超の保険料で、所得税で4万円、住民税で2万8000円の控除となる。
	運用中	◎運用利益が非課税（check! ▶P26）	—（課税なし）
	お金を受け取る時	○優遇措置あり 一時金受け取りでは退職所得控除、年金受け取りでは公的年金等控除が適用される。（check! ▶P28）	×優遇措置なし
ひとことアドバイス		税金を多く払っている人ほど、節税効果は大きくなります。預金性商品もあるので、コストに注意すれば、節税効果だけを安全に得ることもできます。	途中で解約して、解約返戻金をもらうことができます。ただ、解約のタイミングによっては、払い込んだ保険料よりも解約返戻金が少なくなることも。

財形年金貯蓄	つみたてNISA
老後資金づくりを目的とする積み立て制度で、会社が銀行などの金融機関と提携して、制度を導入する。会社の給与から天引きで積み立てる。	投資信託を対象に、年間40万円まで非課税で運用できる（対象商品は長期・積立・分散投資に適した一定の投資信託、ETFに限られている）。
55歳未満の勤労者で勤務先に制度のある人	20歳以上
自分で運用しない	自分で運用する（元本が確保される商品なし）
企業による	20年間
かからない	金融商品の手数料がかかる
○できる	○できる
×なし	×なし
○元本550万円まで利息が非課税 預貯金なら元本550万円まで、保険商品なら払込保険料385万円まで利息が非課税となる。	◎運用利益が非課税 年間40万円までの投資額なら、運用利益は非課税となる。
—（課税なし）	
給与天引きなので意識せずとも確実に貯められるのが利点。利息が非課税ですが、もともとの利率が定期預金程度と低いので、節税効果は小さいです。	いつでも非課税でお金を引き出せるのが利点。老後資金のほか、住宅資金や教育資金をつくるのにも向きます。NISAとの併用はできません。

check! ▶P26

自営業の人の
自分年金のつくり方は
次ページから解説します

自分年金のつくり方②

自営業ならiDeCoと小規模企業共済を組み合わせる

自営業の人にしか使えない制度をうまく利用して、
老後の生活を支えていきましょう。

ぼくは自営業だから、財形年金貯蓄制度はないですね。そうすると、iDeCoか、個人年金保険か、つみたてNISAか……

自営業の人は、ほかにも選択肢がありますよ。まずおすすめしたいのが「付加(ふか)年金」です。また、「国民年金基金」や「小規模企業共済」も自営業の人向けの制度です

どちらも拠出時と給付時に節税メリットがある

自営業の人の自分年金づくりを考えてみましょう。財形年金貯蓄は使えませんが、iDeCo、個人年金保険、つみたてNISAは使えます。そのほかにも、自営業の人向けの制度があります。まず、おすすめなのが「付加年金」。国民年金保険料に月額400円プラスすると、将来の年金額を増やすことができます。

「国民年金基金」と「小規模企業共済」も自営業の人向けの制度です。どちらも、積み立てた金額に応じて、将来、年金（小規模企業共済は一時金も可）がもらえます。iDeCoのように自分で運用するわけではないので、年金額が減ることもありません。また、節税メリットもあります。掛金は全額、所得控除になるうえ、受け取りのときもiDeCoと同じように優遇措置があります。

ただし、付加年金と国民年金基金は、どちらも公的な年金の上乗せ制度なので、両者を併用することはできません。

keyword

付加年金

国民年金の第1号被保険者が任意で入ることができる制度です。国民年金保険料に、月額400円プラスすると、将来、通常の老齢基礎年金に、付加年金額が上乗せされます。

20歳から60歳までの40年間（480カ月）付加保険料を納めた場合は、付加年金9万6000円（年額）がもらえます。申し込みは市区役所及び町村役場の窓口で行います。

付加年金額
＝200円×付加保険料納付月数

例）40年間納めた場合
老齢基礎年金 約78万円 ＋ 付加年金 9万6000円
＝約87万6000円/年

iDeCoと、国民年金基金や小規模企業共済はいっしょにやってもいいんですか？

もちろんOKです！ iDeCoと併用するなら小規模企業共済がよいでしょう。掛金にもよりますが、より高い節税効果が狙えます

iDeCoに、途中で引き出せる小規模企業共済を組み合わせる

iDeCoとの組み合わせを考えるなら、小規模企業共済がよいでしょう。

国民年金基金の掛金は、全額、所得控除となりますが、iDeCoの掛金と合算して月額6万8000円が上限となります。けれども、小規模企業共済なら、最高で月額7万円の掛金を出すことができます。iDeCoと合算しなくてよいので、2つ合わせて最高で13万8000円の所得控除が適用できるのです（付加年金にも入るなら13万7000円が最高）。掛金を多く出すことができて、より大きな節税メリットを狙うなら、iDeCoと小規模企業共済を組み合わせるのがベスト。

iDeCoは運用次第では、小規模企業共済より、多くの年金を受け取ることができます。一方、小規模企業共済は、年金額は決まっているものの、途中で引き出すことができるので、お互いのデメリットをカバーできるというわけ。小規模企業共済には貸付制度があるのも、自営業者にはうれしいメリットです。

小規模企業共済の加入資格：規定の従業員数（事業によって異なる）以下の個人事業主、または会社の役員が加入できる。中小機構小規模企業共済（http://www.smrj.go.jp/kyosai/index.html）で確認を。

自分年金のつくり方　一覧表

		iDeCo	個人年金保険（確定型）	つみたてNISA
特徴		個人が掛金を積み立てて運用し、60歳以降に一時金や年金として受け取る。	民間の保険会社が扱う保険商品。保険料に応じて、将来、決まった額の年金が受け取れる。	自分で掛金を積み立て、投資信託で運用する。運用したお金を将来、年金として受け取る。
加入できる人		20歳以上65歳未満	原則誰でもOK	20歳以上
運用方法		自分で運用する（元本が確保される商品あり）	自分で運用しない	自分で運用する（元本が確保される商品なし）
期間		65歳まで	60歳までが多い	20年間
手数料		口座管理手数料や金融商品の手数料がかかる	かからない	金融商品の手数料がかかる
中途解約		×原則できない check! ▶P34	○できる	○できる
節税メリット	掛金を払う時	check! ▶P22 ◎全額が所得控除	○所得控除あり 払い込んだ保険料に応じて、所得控除がある。	×なし
	運用中	check! ▶P26 ◎運用利益が非課税	—（課税なし）	check! ▶P26 ◎運用利益が非課税 運用利益の全額が非課税となる。
	お金を受け取る時	check! ▶P28 ○優遇措置あり 受け取り方に応じて退職所得控除や公的年金等控除が適用。	×優遇措置なし	
ひとことアドバイス		運用に興味があるなら、iDeCoがおすすめ。自営業の人は掛金の上限も大きいので、節税メリットも大。	保険商品なので、年金受け取り前に本人が亡くなった場合は、死亡保険金がもらえます。	iDeCoと同じように自分で運用します。いつでも非課税でお金を引き出すことができるのがメリット。

付加年金（P67）は
国民年金基金以外となら
併用できます

小規模企業共済	国民年金基金
個人事業主や会社役員の退職金をつくるための制度。掛金を払うと、廃業時や退職時に共済金（年金か一時金、または併給）をもらえる。	第1号被保険者の年金上乗せのための国の制度。掛金の口数とタイプに応じて、60歳または65歳から年金（有期または終身）がもらえる。
自営業者または中小企業の役員	国民年金第1号被保険者
自分で運用しない	自分で運用しない
自分で決められる	60歳まで
かからない	かからない
○できる	×できない
 ◎全額が所得控除 掛金は月額1000円～7万円の範囲で設定でき、全額が所得控除となる。	 ◎全額が所得控除 掛金は、タイプや口数によってちがうが、月額6万8000円が上限。全額が所得控除となる。
—（課税なし）	—（課税なし）
 ○優遇措置あり 一時金受け取りでは退職所得控除、年金受け取りでは公的年金等控除が適用される。	 ○優遇措置あり 公的年金等控除が適用される。
途中でお金を引き出すこともできますし、積立金に応じて貸付制度もあります。掛金の余裕があれば、iDeCoと併用すると、節税効果が大きくなります。	自分で運用したくない人におすすめ。ただ、付加年金との併用はできません。iDeCoと併用するなら、掛金は合算して月額6万8000円が上限となります。

自分年金のつくり方③

20代から60代まで 世代別iDeCo活用法

自分年金をつくるiDeCoの活用法は世代でちがいます。
それは年齢によって「リスク許容度」が変わるからです。

iDeCoなら自分年金がつくれそうです。
先生！ ぼく、iDeCoをやることにします！

あら、決めたんですね！
ところで、マスターはおいくつですか？

え？ 42歳ですけど、何かマズイんですか？
20歳以上65歳未満だから加入できますよね？

加入はできます。そうではなくて、年齢によってiDeCoの活用法が違ってくるんです。これは「リスク許容度」と関係しています

▶ 値動きの幅にどのくらい耐えられるかは、年齢で変わる

iDeCoで積み立てる金融商品には、２つのタイプがあります。１つは、値動きのない元本確保型（P116）。もう１つは、値動きのある投資信託です（P118）。

投資信託は価格が上がることもあれば、下がることもあります。価格がガクッと下がっても、若いうちは次に上がってくるまで“待つ”ことができます。老後までの時間があるので、値動きに耐えられるというわけ。これを「リスク許容度」といいます。でも、年をとると次の値上がりを待つのは難しいですよね。このリスク許容度を考えると、世代でiDeCoの活用法は変わってきます。

これがおすすめ！ 世代別iDeCo活用法

リスク許容度 高 ↕ 低

20代

時間が最大の武器！
株式比率高めで積極的な運用ができる

ドキドキするなぁ

少額の掛金でも、30年以上の長期運用で資産を大きく育てることが可能。運用で損をしても、取り戻す時間は十分あります。投資信託のなかでも株式や外国資産の比率を多めにした積極的な運用で、高いリターンを目指してみては。

check! 株式 ▶P120

30代

ラクなのがイチバン

仕事もプライベートも多忙な時期。
手間のかからない投資信託が便利

仕事もプライベートも忙しくなる時期ですが、長期運用ができるというメリットを生かして、少額からでも自分年金づくりを始めましょう。運用の手間がかからないバランス型の投資信託がおすすめ。株式比率は高めでもOKです。

check! 投資信託 ▶P118 バランス型 ▶P134

40代

守るお金はきっちり守って
本格的に老後資金作りをスタート！

支出が多い時期ですが、自分年金づくりも本格的に始めたいところです。運用期間は10年以上ありますから、しっかり積み立てていきましょう。家計バランスに応じて、途中で掛金の変更も。株式の比率は多くても30％程度に。

がんばるぞ！

リスク許容度は資産や収入、性格によっても違ってきます（P88）

50代～60代

安全性の高い商品を中心に
元本を減らさず、節税効果を狙う

運用期間が短いので、値下がりに耐えるのが難しくなります。元本確保型の商品の比率を高くして、"減らさない"運用をしていきましょう。収入が増える分、税率も高くなるので、上限ギリギリの掛金で最大限の節税効果を狙うのも○。

安全重視！

元本：収益を生み出す元手となるお金のこと。iDeCoの場合は、掛金を積み立てた総額が元本となる。

Q 主婦の自分年金はどうすればいい？

A 専業主婦やパートで所得税非課税の人なら つみたてNISAがよいでしょう

▶税金を払っていなければ、iDeCoはデメリットが大きくなる

2017年の法改正で、専業主婦（主夫）もiDeCoに加入できるようになりました。働いていなくても、加入期間に応じて退職所得控除が適用されるので、もし20年間加入していれば800万円までは非課税で一時金を受け取ることができます。

けれども、所得税を払っていない人は要注意。iDeCoの所得控除は、「小規模企業共済等掛金控除」で、加入者本人の掛金にしか適用されません。生計をともにする配偶者の国民年金保険料を支払った場合に、全額が所得控除される「社会保険料控除」とは違い、実際に掛金を出しているのは夫でも、夫の税金が安くなるわけではないのです。加入者本人が税金を払っていなければ、節税メリットは受けられません。

そこで、問題になるのが手数料です。毎月の掛金5000円で20年間運用した場合、最低でも年間約2193円のコストがかかります※。運用でこれ以上の利益を出さなければ、トータルでマイナスになってしまうのです。

手数料の負担が大きいiDeCo

例）楽天証券で毎月の掛金5000円を投資信託で20年間運用した場合

・加入時手数料、口座管理手数料

初年度		２年目以降
4881円	＋	（2052円×19年）

現時点で口座管理手数料が最低ランクの楽天証券で、掛金5000円で20年間運用した場合、手数料の総額は4万3869円となり、年間平均コストは約2193円となる。

合計　4万3869円 → 平均の年間コスト 約2193円

※掛金の拠出回数を少なくすれば、国民年金基金連合会の手数料（105円／拠出した月）の分、コストを抑えることができる。しかし、「ドル・コスト平均法（P86）」のメリットは低くなる。

主婦の 自分年金のつくり方　一覧表

		iDeCo	つみたてNISA	個人年金保険（確定型）
加入できる人		20歳以上65歳未満	20歳以上	原則誰でもOK
運用方法		自分で運用する（元本確保型商品あり）	自分で運用する（元本確保型商品なし）	自分で運用しない
期間		65歳まで	20年間	60歳までが多い
手数料		口座管理手数料や金融商品の手数料がかかる	金融商品の手数料がかかる	かからない
中途解約		×原則できない（check! ▶P34）	○できる	○できる
節税メリット	掛金を払う時	（check! ▶P22）◎全額が所得控除	×なし	○所得控除あり 払込保険料に応じて、所得控除が適用される。
	運用中	（check! ▶P26）◎運用利益が非課税	◎運用利益が非課税 運用利益の全額が非課税。	―（課税なし）
	お金を受け取る時	（check! ▶P28）○優遇措置あり 受け取り方法に応じて所得控除がある。		×優遇措置なし

▶税金を払っている人はiDeCoの所得控除で税金ゼロになるかがポイント

仮にパートの年収が120万円だった場合を考えてみましょう。年収から給与所得控除（55万円）と基礎控除（48万円）を引くと、課税所得は17万円※。所得税率5％＋住民税率10％を掛けると、税金は2万5500円です。この場合、iDeCoの掛金が月額1万5000円なら、年間の節税額（P24）は2万7000円。つまり、税金がゼロになるので、iDeCo加入のメリットは大きいでしょう。

掛金がそこまで出せないなら、iDeCoは60歳まで引き出せないことも考えて、つみたてNISAのほうがおすすめ。ただ、ついつい引き出してしまいがちという人は、iDeCoを利用するのも手です。また、老後のお金のことを考えたら、「主婦の収入を増やす」のは、強力な一手になります。“iDeCoの掛金が出せるまで、パート収入を増やす”という方法もありますよ。

※給与所得控除と基礎控除以外の控除がないと仮定した場合。税金の計算はP25の表を参考に「課税所得×（所得税率＋住民税率10％）－控除額」で算出する。

iDeCoを始める前に①

金融資産の棚卸しをしておこう

iDeCoを始める前の準備が、3つあります。
まずは今もっている資産を把握しましょう。

すぐにでも始めたくなったので、さっそくiDeCoの申し込みに行ってきます

ちょっと待って！ マスター、自分の銀行口座に今いくら入っているか、わかりますか？

……いくらだろう？

iDeCoで運用を始める前に、今もっている金融資産を把握しておかないとダメですよ！

▶家計バランスシートで“本当の財産”を把握する

iDeCoで500万円貯めたとしても、借金が1000万円残っていたら、老後の資産ができたとはいえませんよね。そこで、今の資産を把握するために、家計バランスシートをつくってみましょう。銀行の預貯金や社内預金などをすべて書き出します。マイホームや自動車も資産として時価に換算してください。住宅ローンや自動車ローンなどは、負債（借金）となります。

資産の合計から、借金の合計を引いたものが、本当の資産（純資産）。純資産がマイナスなら、家計の見直しも必要になります。

家計バランスシートをつくってみよう

STEP1 10万円以上の資産をすべて書き出す

貯蓄型の保険
現時点で解約した場合の解約返戻金の金額を記入する。

土地、マイホーム
不動産サイトで近隣の似ている物件の時価を記入。査定してもらうのもよい。

自動車
中古車サイトで、同じ車種・年数の車の時価を記入。

株式、債券、投資信託
現時点で売却した場合の価格を書く。

STEP2 10万円以上の負債をすべて書き出す

STEP3 純資産を計算する

check!
住宅ローン控除を受けている人
▶P36

資産		負債	
・現金	(　　　)万円	・住宅ローン	(　　　)万円
・普通預金	(　　　)万円	・自動車ローン	(　　　)万円
・定期預金	(　　　)万円	・カードローン	(　　　)万円
・社内預金、財形貯蓄	(　　　)万円	・その他のローン	(　　　)万円
・貯蓄型の保険	(　　　)万円	・クレジットカードの未払い金	(　　　)万円
・土地*1	(　　　)万円	・その他の未払い金	(　　　)万円
・マイホーム*1	(　　　)万円		
・自動車、バイク*2	(　　　)万円		
・株式、債券、投資信託*3	(　　　)万円		
・その他	(　　　)万円		
資産合計	(　　　)万円	**負債合計**	(　　　)万円

資産合計 − 負債合計 = **純資産**(　　　　)万円

*1 不動産情報サイト　LIFULL HOME'S　http://www.homes.co.jp/
*2 中古車情報サイト　カーセンサー　http://www.carsensor.net/
*3 株式・投資信託の情報サイト　モーニングスター　http://www.morningstar.co.jp/

iDeCoを始める前に②

資産運用に使えるお金はどのくらいかを把握しよう

資産のなかで運用に使えるお金はどのくらいでしょうか。
3つの財布に分けて考えてみましょう。

家計バランスシートを確認したら、運用に使えるお金はどのくらいか考えましょう

自営業のiDeCoの掛金上限は月額6万8000円（年間81万6000円）でしたよね。掛金が全額控除になるなら、掛金が高いほど節税できますよね？

はい。でも、iDeCoにたくさん積み立てていても、いざというとき、途中では引き出せないので注意してください

▶ 投資は“なくなってもいいお金”でやるのが鉄則

iDeCoの最大のメリットは掛金が全額控除になること。掛金をたくさん出すほど、節税効果は高くなりますが、ちょっと待ってください。

投資信託での運用は、うまくいけば資産を増やすことができますが、失敗すれば資産が減る危険性もあります。失敗したとき、「老後に生活できない！」となっては困ります。大切なのは、“万が一なくなっても生活できるお金”で運用することです。元本確保型で運用しようと思っている人でも、iDeCoのお金は原則60歳まで引き出せませんから、“なくてもよいお金”で運用するのは同じです。どのくらいの資金を運用に回せるかは、右図のように「使う財布、守る財布、増やす財布」の3つに分けて考えると、わかりやすいと思います。

貯蓄と収入を3つの財布に仕分けする

現時点での貯蓄と、毎月の収入を、３つの財布に分けてみる。増やす財布に入った分が、運用に使えるお金。

日々の生活資金と、病気や入院、事故など万一に備えるお金。月の生活費の３～６ヵ月分が目安。普通預金など、すぐに引き出せるようにする。

・普通預金

守る財布
＝
数年以内に使う目的のあるお金

子どもの教育費、住宅購入資金など、数年以内に使う目的が決まっているお金。定期預金などで管理する。収入の10％はここに入れるのが目標。

・定期預金　・貯蓄型保険
・満期のある債券など

増やす財布
＝
余裕資金

使う財布と守る財布に入るお金を除いた残りのお金。株式や投資信託などで、運用するお金となる。収入の10％を目安にする。

・株式　・投資信託など

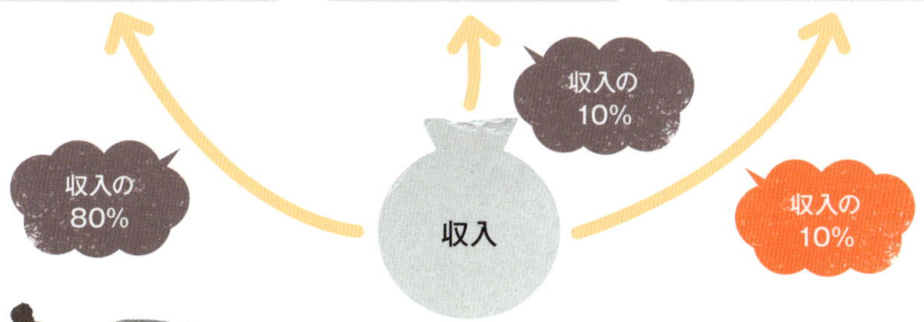

“自分自身”への投資も大切

自己投資とは、自分のステップアップにつながるようにお金を使うことです。

たとえば、マスターが食べ歩きでおいしいものを見つけたら、自分のお店のメニューづくりにも役立ちます。そのメニューが人気になれば、売り上げもアップするかもしれません。長い目で見て、ステップアップにつながるような自己投資も、ぜひ意識してみてください。自己投資に使う金額は、収入の10～20％が目安です。

iDeCoを始める前に③

毎月の掛金と目標とする利回りを出してみよう

やみくもに節税効果を狙うのはダメ。自分年金の目標額の達成に必要な掛金額と利回りを把握しておきましょう。

check! 自分年金の目標額 ▶P58

自分年金の目標額は、公的年金や企業年金で足りない分っていうことですよね

その通りです。では、いくらの掛金を積み立てて何%の利回りで運用すればよいのか、計算してみましょう

ええっ!?
そんな難しそうなことできないよ〜

自動で計算してくれるWebサイトを活用すれば数字を入力するだけなので大丈夫です!

▶ Webサイトで目標額から必要な利回りと掛金を算出する

iDeCoの掛金は増やす財布から出します。iDeCoだけで運用するなら、増やす財布のお金を全部使ってもOK。ボーナス時など特定月だけ掛金額を増やすこともできます。年間の上限額を超えないよう、事前に計画をたててください。

掛金額を決めたら、自分年金の目標額から、必要な利回りを算出してみましょう。余分なリスクをとらないために、目標金額の達成に必要な利回りを知っておくことが大切です。目標利回りは、モーニングスターのWebサイトで、掛金額と運用期間、自分年金の目標額を入力すればわかります。

利回り:投資した金額に対する年間収益の割合のこと。利回りが高いほど、期待できる利益の額は大きくなるが、その分、損失が出たときの金額も大きくなる。

目標達成に必要な利回りはどのくらい？

STEP1 「モーニングスター」のホームページから金融電卓「運用 - 利回り」のページにアクセスする

（モーニングスター株式会社　http://www.morningstar.co.jp/tools/simulation/）

投資信託 | 株式 | ETF | マーケット情報 | ポートフォリオ(ログイン)

投資信託ホーム | ファンドを探す | ファンドランキング | 各種データ | アナリストの視点 | ニュース | はじめての方

金融電卓

資産形成のための利回り計算

退職までは資産を形成していく時期となります。今手元にある資金と毎月貯蓄や投資に回せる資金を運用して、目標金額を達成するために 必要となる年間の利回りを計算してみましょう。

あなたに最適なファンドを選んでみましょう。

運用-利回り | 取崩し-受取期間 | 取崩し-受取金額 | 取崩し-利回り

手元にあるまとまったお金を毎月一定の金額で積み立てて、一定の期間運用していった場合、目標額を達成するためにはどの位の利回りが必要であるかを計算します。

入力の仕方

「資金」には現在の預貯金残高を1万円単位で入力してください。
「毎月の運用額」には毎月運用する金額を1万円単位で入力してください。

資金
万円　と
毎月
万円　を
年間　運用して
※50年以下で設定してください。
万円　とするには
計算する　リセット
約　%の運用利回りが必要。

STEP2 それぞれの数字を入力する

iDeCoの場合は積み立てなので、スタート時点での資金は0円と入力。毎月の掛金と老後までの運用期間、自分年金の目標額を入力し、「計算する」をクリックすると、目標の利回りが出る。

利回りが高いほどリスクも高くなる

低 ←― リスク ―→ 高

check! 金融商品のリスク ▸P82

期待する利回り	期待する利回り	期待する利回り
3%未満	3%以上5%未満	5%以上8%未満
＝	＝	＝
安定運用	標準運用	積極運用
値動きの小さなタイプの投資信託を中心にした運用。	リスクの高いものと低いものをバランスよく組み合わせた運用。	値動きの大きいタイプの投資信託を中心に、利益を狙う運用。

金利：金利（利率ともいう）とは、元本に対する1年間の利子の割合のこと。元本100万円で、1年間に3万円の利子がつくなら、金利3%となる。

※日本銀行「資金循環の日米欧比較」（2021 年）より。

投資は車の運転と同じ
ちゃんと練習して免許をとれば
生活を便利に豊かにしてくれるけど
知識や技術のない人が車を運転したら
事故を起こしますよね
50
料理にも火や包丁を使いますが
正しく使えば
危険なことはありません
ジャー
トントントン
投資も知識とスキルを
身につけていけば
怖がることはないんです
なるほど
車の運転や料理と
同じなんですね
なっとく
逆に、“何もしない”ことで
老後の生活費が足りなくなる
こともありますよ
いつまでも元気で働いて
収入を得られるとは
限らないですからね
バリバリ
働くぞ！
そろそろつらい…
さすがに
ムリ…
40代
70代
90代
う～ん確かに
100歳まで
お店はムリかな……
いくつまで
やるんだろ…

運用のリスクとは？

リスクをとらなければ リターンは望めない

資産運用にリスクは避けて通れないものとよくいいますが、
そもそもリスクってどういう意味か知っていますか？

資産運用では「リスク」という言葉をよく使います。これ、どういう意味だと思いますか？

リスクといえば、「危険」とか、「損する」っていう意味ですよね？

いえ、そうじゃないんです。これは“金融商品が値動きするブレ幅の大きさ”のことなんです

▶ブレ幅が大きいものは、高リターンを得る可能性がある

投資にリスクはつきものですが、これは“投資にはキケンがつきもの”という意味ではありません。資産運用でのリスクとは、「値動きのブレ幅」のことをいいます。値動きのブレ幅が小さいものを「リスクが低い」、ブレ幅が大きいものを「リスクが高い」といいます。

リスクが低い金融商品で運用した場合、大きく損をすることもないかわりに、大きなリターン（収益）を得ることもありません。一方、リスクが高い金融商品で運用すると、グッと値上がりして大きなリターン（収益）を得られる可能性がありますが、逆にガクッと値下がりして、資金を減らしてしまう危険性も。

金融商品には、種類によってリスクがちがいます。リスクをとることをむやみに恐れていては、必要なリターンも望めません。目標額の達成に必要なリターンと、自分がとれるリスクとのバランスを考えて商品を選ぶことが大切です。

リスクとは“値動きのブレ幅”のこと

リスクの高い商品は高いリターン（収益）を得られる可能性があるが、損失も大きくなりやすい。逆に、リスクの低い商品は大きな損失を被る心配はないが、リターンも小さくなる。

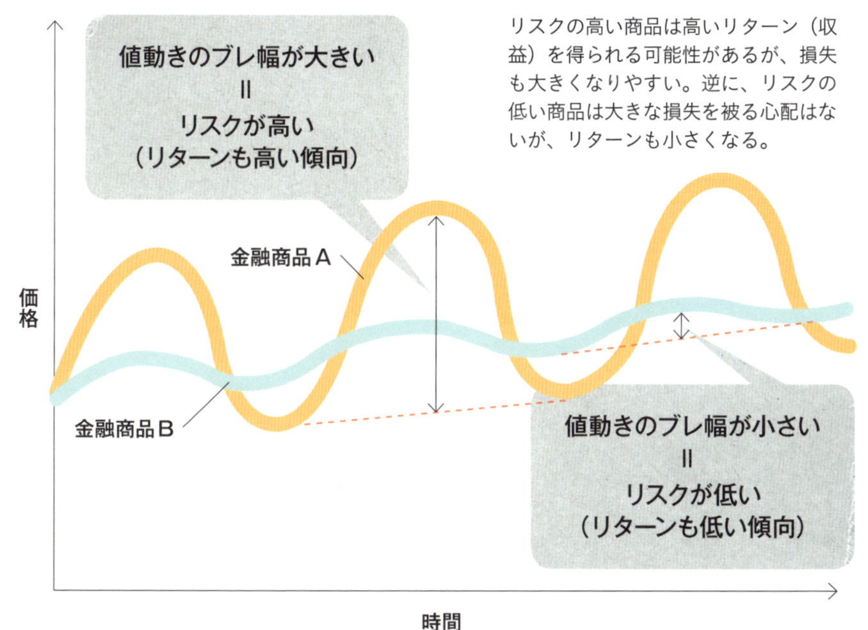

金融商品ごとのリスクとリターンの関係

金融商品の種類によって、リスクとリターンは変わる。ローリスクでハイリターンの商品はなく、高いリターンを得ようとすればリスクも高くなる。

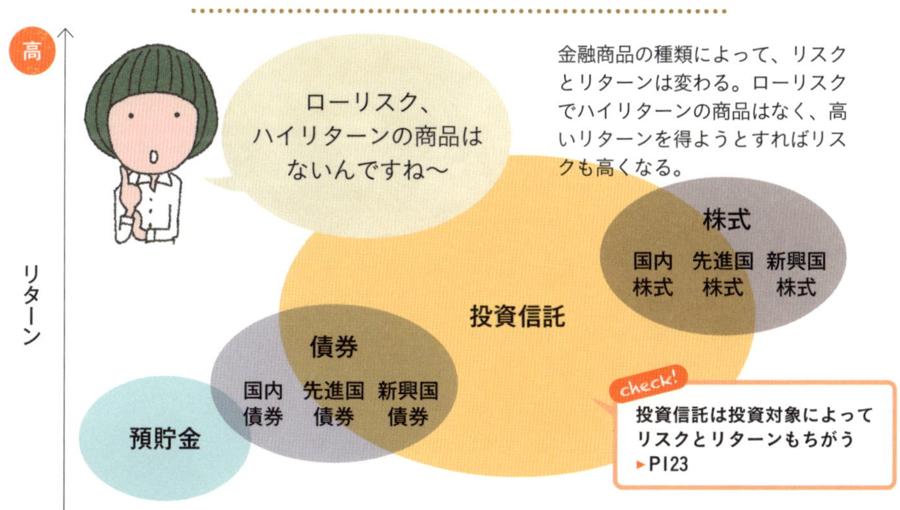

check!
投資信託は投資対象によってリスクとリターンもちがう
▶P123

リスクを下げるテクニック①

値動きのちがうものにお金を分けて投資する

運用のリスクを抑えるにはどうすればよいでしょうか。
まず大切なのは、お金を分けて投資することです。

ある程度のリターンはほしいけど、リスクをとるのはこわいなぁ。できるだけリスクを下げるにはどうすればいいんですか？

その答えは、ひとことでいうなら、“卵は1つのカゴに盛るな！”です

卵…………？

卵は複数のカゴに分けて盛る

値動きのちがうものに分ける

卵＝お金

株式

投資信託

債券

1つの資産に集中して投資すると、その価格が下がったときに、資金が減ってしまう。値動きのちがうものに分けて投資する。

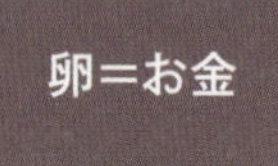

カゴ＝投資先

１つのカゴに卵を全部入れておくと、カゴを落としたら卵は全部割れてしまいますよね。でも、いくつかのカゴに卵を分けて入れておけば……

１つのカゴを落としても、ほかのカゴの卵は割れない！

その通り！　具体的には値動きや対象地域のちがうものにお金を分けて投資していきます

対象地域を分ける

一般的に、先進国の金融商品の値動きは安定していて、新興国の金融商品の値動きは激しい。１つに集中しないよう、分散させる。

国内

海外新興国
海外先進国

業種を分ける

同じように値動きする業種だと、同時に値下がりする危険性がある。輸出産業、輸入産業、輸出入にかかわりのない産業などに分ける。

輸出入にかかわりのない産業
（電気、ガス、医薬品）

輸出産業
（鉄鋼、機械、自動車）

カゴを落としたら
卵は全部
割れてしまう

リスクを下げるテクニック②

一定額をコツコツ積み立て長期運用する

リスクを下げるには「時間を分ける」のも効果があります。
一定額をコツコツ積み立てる長期運用が基本です。

株式や投資信託などの金融商品は、常に価格が変動しています。一気にまとめて買ってしまうと“高値づかみ”になるリスクがあります

できるだけ安く買いたいけど、タイミングを見極めるのは難しそう……

そうなんです。そこでおすすめなのが「時間の分散」です。時期をずらして少しずつ買えば、購入価格が平均化されてリスクを抑えることができますよ

▶時間の分散を利用した「ドル・コスト平均法」はiDeCoにぴったり

時間の分散とは、金融商品をまとめて一気に購入するのではなく、何回かに分けて購入したり、一定額で定期的に購入したりすること。一定額を定期的に購入する方法を、特に「ドル・コスト平均法」といいます。

iDeCoで毎月決まった掛金を積み立てる場合は、自然とドル・コスト平均法が実践できます。それによって、値動きのリスクを減らし、平均購入価格を抑えやすくなるのです。

また、初心者は価格変動で一喜一憂しがちですが、ドル・コスト平均法なら淡々と投資を続けられます。投資の“心のブレ”も抑えることができます。

ドル・コスト平均法は平均購入単価が安くなりやすい

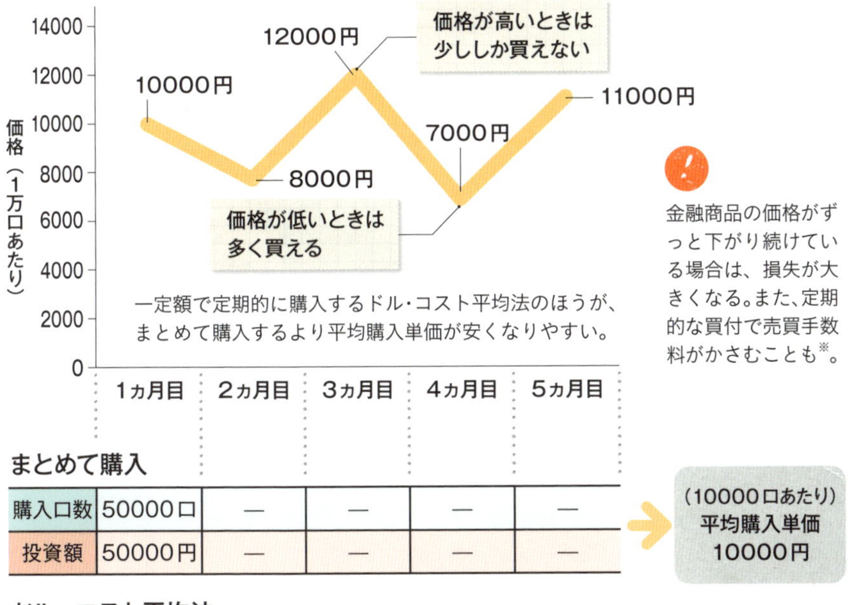

金融商品の価格がずっと下がり続けている場合は、損失が大きくなる。また、定期的な買付で売買手数料がかさむことも※。

まとめて購入

	1ヵ月目	2ヵ月目	3ヵ月目	4ヵ月目	5ヵ月目
購入口数	50000口	—	—	—	—
投資額	50000円	—	—	—	—

→（10000口あたり）平均購入単価 10000円

ドル・コスト平均法

	1ヵ月目	2ヵ月目	3ヵ月目	4ヵ月目	5ヵ月目
購入口数	10000口	12500口	8333口	14285口	9090口
投資額	10000円	10000円	10000円	10000円	10000円

→（10000口あたり）平均購入単価 約9223円

この例では
約777円安く買えたね！

リスクを下げる“灯台下暗し”の方法

投資で失敗すると、家をとられるとか、全財産がなくなるというイメージをもつ人もいますが、それは誤解。借金をして投資をしない限りはどんなに投資で失敗しても、投資した額以上に損をすることはありません。リスクを抑えたいのなら、投資金額を下げるのがいちばんシンプル。運用方法であれこれ悩むより、ずっと簡単ですよ。

※ただ、iDeCoの場合、取り扱っている投資信託のほとんどは売買手数料がかからない。

リスクを下げるテクニック③

自分のリスク許容度を知り資産運用の知識を身につける

知識をつけることで、大きな事故は防ぐことができます。
自分自身がもつリスクにも目を向けましょう。

「投資先の分散」と「時間の分散」なら、ぼくでもできそうなので、ちょっと安心しました！

実はもう1つ、確かめておいてほしいことがあるの。それは「リスクの許容度」。“値動きのブレ幅にどのくらいまで耐えられるか”です

たしかに、若い人ほどリスク許容度は高いんでしたよね？

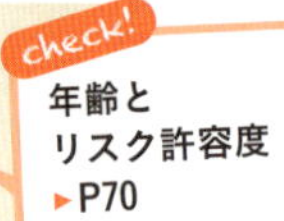

はい。でも、たとえ年齢が同じでも、性格や資産、収入、投資の知識などによって、リスク許容度は変わってくるんです

▶全部なくなっても平気な人も、1万円だって減るのはイヤな人もいる

どのくらいのリスク（値動きのブレ幅）に耐えられるかを、リスク許容度といいます。一般に、若い人ほどリスク許容度は高くなりますが、実際のリスク許容度は人それぞれ。増やす財布（P76）に入っているお金が“全部なくなってもまあいいか”という人もいれば、“1万円でも減るのはイヤ”と思う人もいるでしょう。性格のほか、収入や投資の知識なども、リスク許容度を左右します。自分のリスク許容度をきちんと把握しておきましょう。

▶ 資産運用の知識を身につければ、"事故"は防げる

F1レーサーなら速度無制限の高速道路を超高速で走っても、おそらく大丈夫。けれども、免許取りたての人が同じことをしたら、大事故になるかもしれません。危ないのは超高速で走ることではなく、運転手の知識や技術、経験が結果を左右するのです。運用も同じ。たとえ金融商品のリスクは小さくても、何も知らずに運用するのは危険なことです。逆に、知識や技術を身につけ、経験を積めば、リスクの高い金融商品でも安全に運用することができるのです。

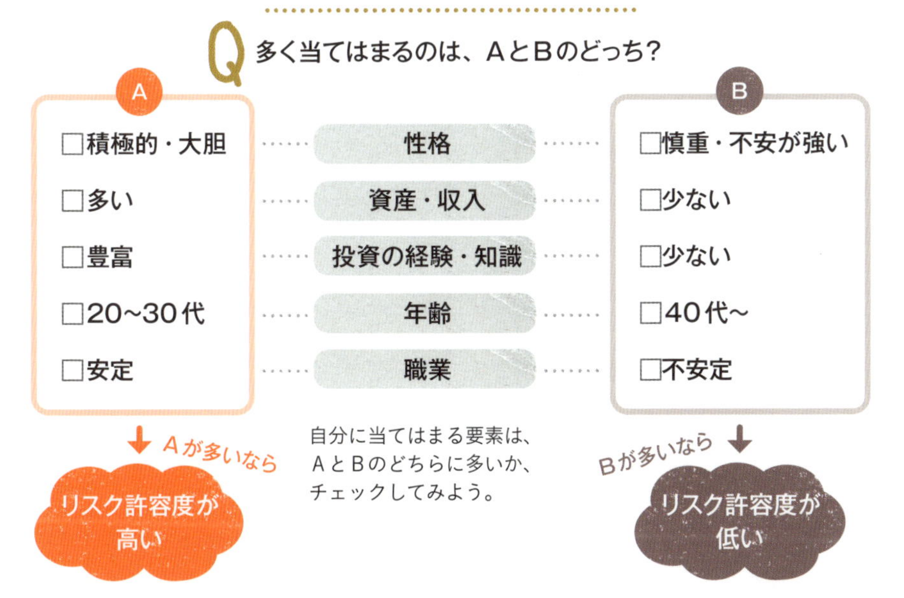

リスク許容度を数値化してみよう

100万円投資した場合、いくらまでなら損に耐えられるか、具体的な数値を考えてみよう。その数字があなたのリスク許容度（%）です。

Q 100万円投資した場合、いくらまでの損に耐えられる？

例）10万円の損まで耐えられるなら、リスク許容度は10%ということ。

A ＿＿＿＿＿＿＿＿ 万円

具体的な金額をイメージしておくと金融商品選びに役立ちます

Q NISAやつみたてNISAはどうやって使えばいいの？

A 住宅購入資金や教育資金などじっくり用意するお金に向きます

▶投資で得た売却益や配当金などに税金がかからない

NISAとは「少額投資非課税制度」のこと。

通常、運用による売却益や配当金には約20％課税されます。しかし、NISA口座なら、年間投資額120万円までなら、運用利益に税金がかかりません。運用利益をまるごと受け取ることができる、個人投資家向けのお得な制度なのです。

NISAと課税口座の違い

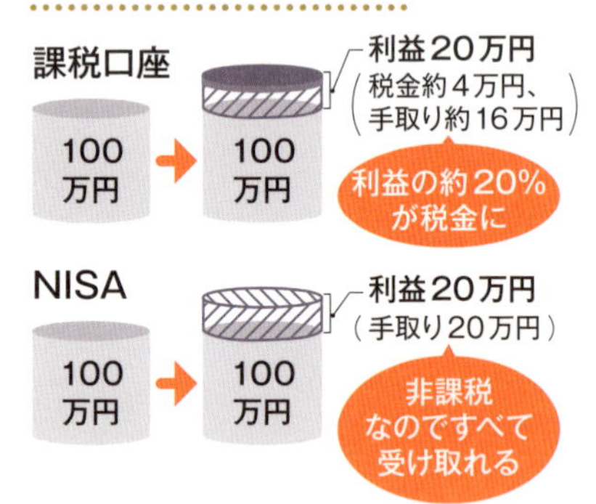

▶投資で損失が出た場合は、税金が多くなることも

NISAはiDeCoとちがって、株式やETF（イーティーエフ）、REIT（リート）にも投資できますから、資産を増やす選択肢がより広いといえるでしょう。非課税期間は５年間（最長10年に延長可）なので、近い将来に使う予定の資金づくりに向いています。たとえば、住宅購入資金や教育資金、車の買い替え資金などが考えられます。

しかし、NISA口座では損益通算ができません。たとえば、NISA口座で20万円の損失、証券会社のふつうの課税口座で50万円の利益が出たとします。損益通算ができれば、30万円（50万円－20万円）の利益に課税されますが、それはできないので、50万円の利益として課税されてしまいます。また、NISA口座で20万円の損失が出たまま、５年後にふつうの課税口座に移したとしましょう。その後、20万円の利益が出たら、トータルでプラスマイナスゼロですね。しかしこれも、20万円の利益を得たものとして課税されます。NISA口座で損失を出した場合は、かえって税金が増えることもあるのです。

ETF：「Exchange Traded Funds」の略で、上場投資信託のこと。証券取引所に上場していて、リアルタイムで基準価額が変動する。株式などと同じように売買される。

NISAのしくみ

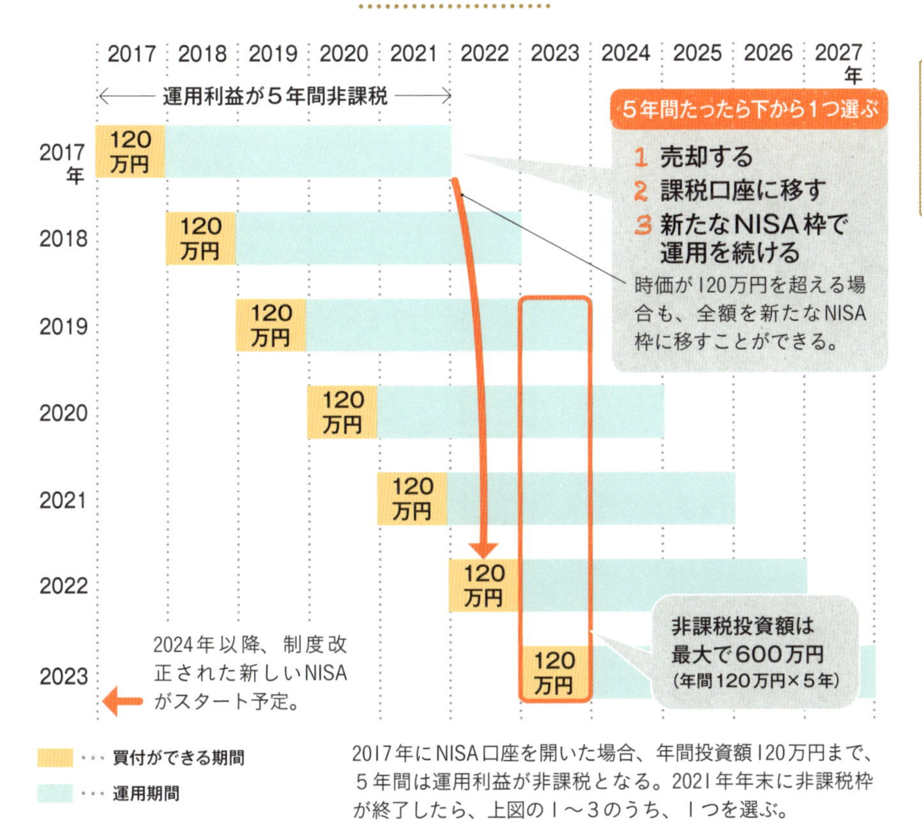

2017年にNISA口座を開いた場合、年間投資額120万円まで、5年間は運用利益が非課税となる。2021年年末に非課税枠が終了したら、上図の1〜3のうち、1つを選ぶ。

▶ 少額をコツコツ投資するなら「つみたてNISA」

つみたてNISAは、年間投資額40万円までなら、NISA同様、運用利益に税金がかかりません。その一方、非課税の運用期間は最長20年と長く、より長期的な運用に向いているといえます。

幅広い金融商品に投資できるNISAに対して、つみたてNISAの投資対象は、長期の積立·分散投資に適した一定の投資信託とETFに限られています。月1回など設定した頻度で継続的に投資することで、元本割れのリスクを低くすることができます。投資初心者や、NISA口座を開いたもののNISAをうまく活用できなかった人は、つみたてNISAを検討してみてください。

なお、NISAとつみたてNISAは併用できません。NISA口座内でどちらか一方を選ぶ必要があり、切り替える場合は金融機関での手続きが必要です。

非課税枠の再利用：たとえばNISA口座で100万円の投資信託を購入し、その後40万円売却しても、売却した分の非課税枠の再利用はできない。年間投資額は120万円なので、残りの非課税枠は20万円。

つみたてNISAのしくみ

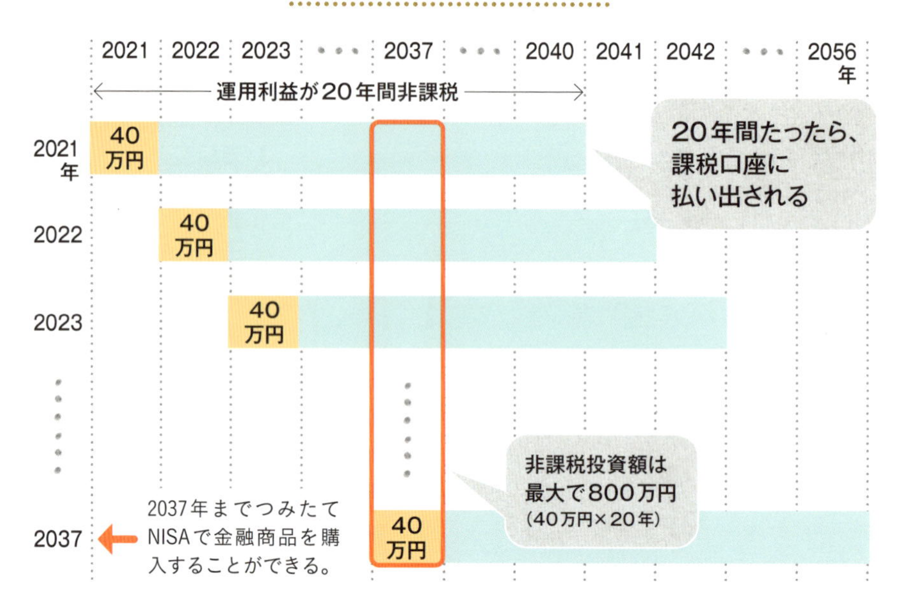

・・・買付ができる期間

・・・運用期間

2021年につみたてNISAをはじめた場合、年間投資額40万円まで、20年間は運用利益が非課税となる。2040年年末に非課税枠が終了したら、NISA口座以外の課税口座に払い出される。

「NISA」が向いている人

- まとまった金額を運用したい
- 短期的に資産をつくりたい
- 株式やREITなど幅広い商品から選びたい

「つみたてNISA」が向いている人

- 月3万円程度を運用したい
- 長期的にコツコツ資産をつくりたい
- 投資初心者で商品選びが苦手

2024年以降、新しいNISAがスタートされる予定です。金融庁のWebサイトなどで制度の改正情報をしっかり集めましょう

レッスン3

ここで差がつく！
金融機関のかしこい選び方

品ぞろえ？ 手数料？
それともサービス？
得する金融機関の選び方
を知っておきたい

Lesson3
いつもの金融機関じゃダメなの？
〇〇信用金庫
こんにちは～
あ、マスター
こんにちは！
実はね、iDeCo を
始めようと思ってるんだ
いつもお世話になってる
金融機関なら安心だから
ここで iDeCo の口座を
開こうと思って
どやっ
iDeCo
じゃーん
iDeCo って
個人型確定拠出年金の
ことですよね？
そうそう
それ！
すみません
ウチではやってないので
口座は開けないんですよ
えっ!!
そうなの!?
!!

※2021年7月時点の運営管理機関の数。

iDeCoの金融機関

“長いお付き合い”を前提に慎重に選ぼう

iDeCoの口座を開けるのは1人1口座だけ。
老後までの長いお付き合いを前提に選びましょう。

iDeCoでは金融機関、つまり運営管理機関の選択がとても大切です

えーっと、どうして金融機関選びが大切なんでしたっけ？

iDeCoの口座は1人につき1つだけです。老後までの長い間、その機関が提供する商品で運用していくわけですから、コストや商品、サービスを比較して慎重に選んでください

check!
金融機関を変更したいとき
▸P160

▶ 金融機関の変更は手間も時間もかかる

iDeCoの運営には、たくさんの機関がかかわっています。けれども、私たちが直接、かかわるのは「運営管理機関」だけ。運営管理機関には「運用関連運営管理機関」と「記録関連運営管理機関」があります。iDeCo専用の口座は、運用関連運営管理機関として登録されたところで開きます。運用関連運営管理機関というと、長くて覚えづらいので、本書では、“金融機関”と呼んでいます。

iDeCoの口座を開ける金融機関は、222ヵ所あります（2021年7月時点）。ここから1つの金融機関を選び、その機関が提供する商品で運用することになります。後から金融機関の変更はできますが、手間も時間もコストもかかります。長いお付き合いを前提に、慎重に選ぶことが大切です。

iDeCoにかかわるさまざまな機関

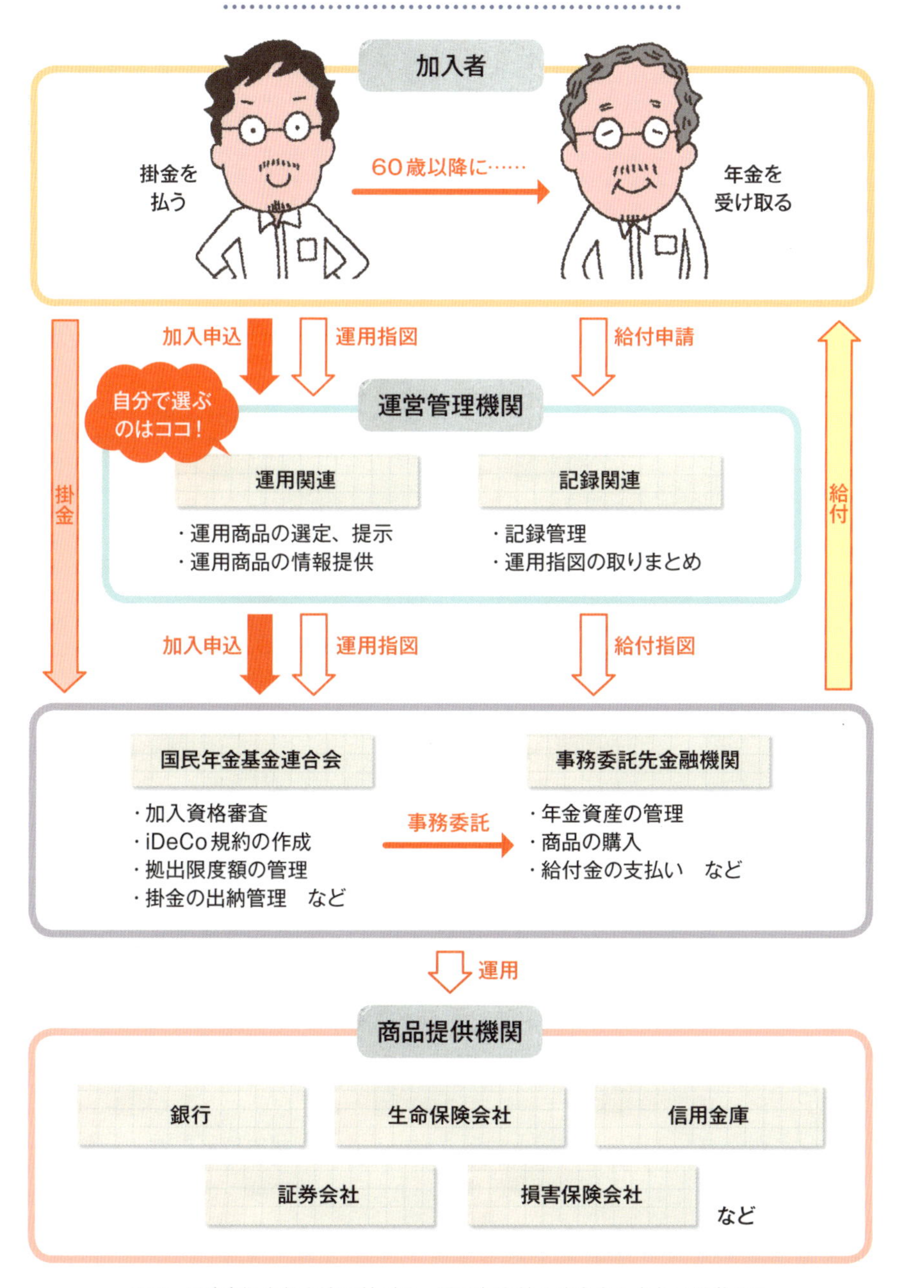

iDeCoは確定拠出年金法に基づき、国民年金基金連合会を中心に運営されている。運用関連運営管理機関（金融機関）が、加入や運用の窓口となる。

チェックポイント①

口座管理手数料はどのくらいかかるか

金融機関選びの1つ目のポイントは手数料です。
特に口座管理手数料に注意して選びましょう。

口座管理手数料って、iDeCoではずっとかかるんですよね

はい。iDeCoは長い期間運用するので、口座管理手数料は運用結果に大きく影響します。金融機関によって3倍以上も差があるんですよ

えーっ!!! そんなにちがうんだ!!
それなら慎重に決めなくては!

▶ 口座管理手数料の分、運用資産が減っていく

iDeCoに加入すると、さまざまな手数料がかかります。金融機関選びで重視すべきなのは「口座管理手数料」。加入者でも運用指図者（P17）でも、iDeCoの資産の受け取りが終わるまで、毎月ずっと払わなければならない手数料です。

口座管理手数料がいちばん安い金融機関といちばん高い金融機関との差は、年間で約5000円。口座管理手数料は掛金のなかから自動的に差し引かれますから、手数料が高いほど実質的な掛金は少なくなり、運用結果に影響します。Webサイト（P101）などを参考に手数料の安い金融機関を選びましょう。

また、金融機関を変更するときや、企業型DC（P51）に資産を移すときに、「移換時手数料」がかかるところもあります。転職が多く、企業型DCへの移換も考えられるような人は、移換時手数料もチェックしておくとよいでしょう。

手数料はいつどこにいくらかかるか

口座管理手数料の差は大きい

口座管理手数料は国民年金基金連合会、運営管理機関（金融機関）、事務委託先金融機関に支払う。金融機関は手数料を自由に設定できるので、差がある。

いちばん安い場合

105円＋0円＋66円＝171円/月

いちばん高い場合

105円＋440円＋66円＝611円/月

年間約5000円※も差がある

※毎月拠出した場合。

□・・・機関によって異なる

手数料の種類	いつ	どこに	いくら
加入時手数料	加入時（1回だけ）	国民年金基金連合会	2829円
		運営管理機関	無料、または1100円
口座管理手数料	掛金を払って運用している間（毎月）	国民年金基金連合会	105円/拠出した月
		運営管理機関	無料～440円/月
		事務委託先金融機関	66円/月
	掛金は払わず運用だけしている間（毎月）	国民年金基金連合会	—
		運営管理機関	無料～440円/月
		事務委託先金融機関	66円/月
給付事務手数料	運用したお金を受け取る時	事務委託先金融機関	385円または440円/回
移換時手数料	金融機関の変更や企業型DCに移換する時	運営管理機関	無料または4400円/回
還付事務手数料	掛金を還付してもらう時	国民年金基金連合会	1048円/回
		運営管理機関	無料または660円/回
		事務委託先金融機関	440円/回

check! ▶P17
check! ▶P35

（2021年10月現在）

チェックポイント②

種類が豊富で信託報酬の低い商品が多いか

金融機関の“品ぞろえ”もチェックします。
種類と信託報酬がポイントになります。

商品の数は数本から20本以上と、金融機関によってさまざまです。まずは右のような基本の商品がそろっているか、商品の手数料（信託報酬という）が高くないかどうかをチェックしましょう。

check! 信託報酬 ▶P128

高くない手数料って、具体的にはどのくらいなんですか？

信託報酬0.5％前後を目安にしてください。さらに元本確保型やバランス型など、自分のプランに合う商品があるかチェックしましょう

▶ 運用プランの変更に対応できるか、長い目で見る

iDeCoでは、口座を開いた金融機関が提示した商品しか、運用できません。長い運用期間の間には、リスク許容度も変わるので、商品を入れ替えたくなることもあるでしょう。こうした変更に対応できるかが大切です。まずは、右図の「基本の商品」となる投資信託がそろっているかをチェックします。投資信託の運用にかかる手数料（信託報酬）は、できるだけ低いのがベストですが、0.5％前後なら許容範囲でしょう。そのうえで、レッスン４（P111～）を参考に、自分が希望する商品があるかをチェックしてください。

金融機関の品ぞろえをチェック

「国内株式、外国株式、国内債券、外国債券」を対象にした“低コスト”の投資信託があるか、自分が希望する商品があるかをチェックする。

check!
投資信託のタイプ
▸P120

国内株式型
外国株式型
国内債券型
外国債券型

金融商品の選び方
▸レッスン4

＋

自分が希望する商品

手間をかけずに運用したいな

できるだけ損はしたくない

できるだけお金を増やしたい！

手数料や商品はWebサイトで調べられるよ

- 個人型確定拠出年金ナビ
  http://www.dcnenkin.jp/
- 個人型確定拠出年金 iDeCo（モーニングスター）
  https://ideco.morningstar.co.jp/

チェックポイント③

運用したお金は どのように受け取れるか

金融機関を選ぶときは“出口”、つまり
運用したお金の受け取り方も確かめておきましょう。

iDeCoで運用したお金の受け取り方は「一時金」「年金」「一時金と年金の併給（併用）」の３つがあります。でも、金融機関によっては併給ができないこともあります

受け取るころのイメージがまだわかないけど、併給ってできたほうがいいんですか？

iDeCoの給付時には、税金の優遇措置があります。これをフル活用するには、受け取り方の選択肢は多いほうがいいですね

▶ 年金の受取期間や回数は金融機関によってちがう

運用したお金の受け取り方も、商品と同様、金融機関が提示したなかから選びます。「一時金」「年金」「一時金と年金の併給（併用）」が一般的ですが、金融機関によっては併給が選べないことも。また、年金の受取期間や受取回数も、金融機関によってちがいます。受取期間が５年、10年など指定されているところもあれば、１年刻みで自由に決められるところもあります。さらに、元本確保型の商品のなかには、終身年金で受け取れるものもあります。

運用したお金を受け取るときは税金がかかりますが、優遇措置があります。これをフル活用するためにも、受け取り方の選択肢は多いほうがよいでしょう。

＊併給がない金融機関でも、年金で受け取りを開始して５年経過後に、残りの年金資産を一時金として受け取るという方法は可能。

金融機関が提示したなかから受け取り方を選ぶ

	方法	年金の受取期間	年金の受取回数
SBI証券	一時金、年金、併給	5年、10年、15年、20年から選択	年1回、2回、4回、6回から選択
楽天証券	一時金、年金、併給	5年以上20年以下で1年刻みで指定	年1回、2回、3回、4回、6回、12回から選択
大和証券	一時金、年金	5年、10年、15年、20年から選択	年1回、2回、4回、6回から選択
野村證券	一時金、年金、併給	5年以上20年以下で1年刻みで指定	年1回、2回、3回、4回、6回、12回から選択
りそな銀行	一時金、年金、併給	5年、10年、15年、20年から選択	年2回、3回、4回、6回から選択
スルガ銀行	一時金、年金	5年、10年、15年、20年から選択	年1回、2回、3回、4回、6回から選択
みずほ銀行	一時金、年金、併給	5年以上20年以下の1年刻みで指定	年1回、2回、4回、6回から選択
日本生命保険	一時金、年金、併給	5年、10年、15年から選択（終身年金もある）	年1回、2回、4回から選択
第一生命保険	一時金、年金、併給	5年、10年、15年、20年から選択（終身年金もある）	年1回、2回、3回、4回、6回、12回から選択

（2021年10月時点）

最新情報は各金融機関に
問い合わせてね

チェックポイント④

Webサイトやサポート体制は充実しているか

運用や手続きなどで困ったときに、
きちんとサポートしてくれるところが安心です。

iDeCoについて対面で相談に乗ってくれるところはありますか？

対応しているところは、まだ少ないです。わからないことがあったら、コールセンターかWebサイトからの問い合わせが基本になりますね

僕は店が終わってからじゃないと電話できないなぁ……

コールセンターの対応時間やWebサイトの使いやすさもチェックしておきましょう

▶わからないことを気軽に聞けるか

iDeCoでは、商品の選択から運用、給付の申請、各種変更手続きまで、自分で行わなければなりません。窓口となる金融機関で、わからないことを気軽に聞けるかどうかはとても重要です。手数料や品ぞろえなどから、いくつかの金融機関をピックアップしたら、まずは資料を請求してみてください。資料でわからないことがあれば、コールセンターやメールで実際に問い合わせをしてみて、対応を確認しましょう。金融機関とは長い付き合いになりますから、おっくうがらずに“どんな相手か”を納得のいくまで確かめておくと安心です。

サービスはこんなところをチェック

コールセンター

- ☐ 対応時間
- ☐ 対応の仕方

対応時間は個人型確定拠出年金ナビ（P101）の金融機関比較のページでチェックできる。気になる金融機関には、実際に電話をして、対応の仕方を確認しておくと安心。

Webサイトからの問い合わせ

- ☐ メールでの問い合わせ
- ☐ チャットで相談

メールやチャットで問い合わせができるかどうかを確認しておく。少しでも気になることがあれば、実際に問い合わせをして、対応の仕方やスピードを確認しておこう。

窓口対応

一部の金融機関では、窓口での説明や相談、申し込みに対応。窓口対応の有無は、Webサイト（P101）などで確認できる。ファイナンシャルプランナーの出張サービスなど、独自のサービスを提供している金融機関もあるので、各金融機関のサイトもチェックを。

Webサイト

- ☐ 商品の選びやすさ
- ☐ 運用状況の報告
- ☐ 各種手続きの方法
- ☐ ポートフォリオ作成ツール
- ☐ 資産運用に関する情報
- ☐ 運用指図の仕方
- ☐ 税金シミュレーション

など

各金融機関のサイトで、商品情報や手続き方法がわかりやすく提示されているかなどをチェックする。わからないことがあれば問い合わせてみよう。

なるほど
このサイトは
わかりやすい！

気になる金融機関には
資料を請求して
じっくり
比較検討しよう

資料請求は、各金融機関のサイトや個人型確定拠出年金ナビ（P101）からできる。資料請求は無料なので、複数の資料を取り寄せて比較検討を。

今、おすすめの金融機関

SBI証券&楽天証券の主な商品

金融機関を選ぶとしたら、どうしてこの2つがおすすめなんですか？

コストや品ぞろえ、サービスに加えて資産管理しやすいというメリットがあります

▶ iDeCo以外の資産運用も全体で管理できる

iDeCoではじめて資産運用をする人でも、将来的に「NISAをやってみよう」「iDeCo以外の金融商品を試してみたい」などと思うかもしれません。

SBI証券や楽天証券ならNISAやつみたてNISAもできますし、金融商品も豊富。あちこちに口座を開くより、1つの金融機関で資産全体を管理できるという利便性も大きなメリットです。ネットに抵抗がなければおすすめです。

SBI証券
(セレクトプラン)

商品区分	運用方針	商品名	信託報酬（%）
国内株式	インデックス	〈購入・換金手数料なし〉ニッセイ日経平均インデックスファンド	0.154%以内
		eMAXIS Slim 国内株式（TOPIX）	0.154%以内
	アクティブ	野村リアルグロース・オープン（確定拠出年金向け）	0.935%
		つみたて椿（愛称：女性活躍応援積立ファンド）	0.99%

商品区分	運用方針	商品名	信託報酬（%）
国内株式	アクティブ	ひふみ年金	0.836%
		SBI中小型割安成長株ファンド ジェイリバイブ〈DC年金〉	1.65%
外国株式	インデックス	〈購入・換金手数料なし〉 ニッセイ外国株式インデックスファンド	0.1023%以内
		iFree NYダウ・インデックス	0.2475%
		インデックスファンド 海外株式ヘッジあり（DC専用）	0.176%
		eMAXIS Slim 先進国株式インデックス	0.1023%以内
		eMAXIS Slim 米国株式（S&P500）	0.0968%以内
		eMAXIS Slim 全世界株式（除く日本）	0.1144%以内
		EXE-iグローバル中小型株式ファンド	0.327%程度
		SBI・全世界株式インデックス・ファンド （愛称：雪だるま（全世界株式））	0.1102%程度
	アクティブ	ラッセル・インベストメント 外国株式ファンド（DC向け）	1.463%
		朝日Nvestグローバル　バリュー株オープン （愛称：Avest-E）	1.98%
		農林中金〈パートナーズ〉 長期厳選投資　おおぶね	0.99%
		セゾン資産形成の達人ファンド	1.35%±0.2% 程度
外国株式 （新興国）	インデックス	eMAXIS Slim 新興国株式インデックス	0.187%以内
	アクティブ	ハーベスト　アジア フロンティア株式ファンド	2.124%程度
国内債券	インデックス	eMAXIS Slim 国内債券インデックス	0.132%以内
外国債券	インデックス	インデックスファンド 海外債券ヘッジあり（DC専用）	0.176%
		eMAXIS Slim 先進国債券インデックス	0.154%以内
	アクティブ	SBI-PIMCO世界債券アクティブファンド （DC）	0.8294%
外国債券 （新興国）	インデックス	iFree 新興国債券インデックス	0.242%
バランス型	インデックス	eMAXIS Slimバランス （8資産均等型）	0.154%以内

SBI証券（セレクトプラン）のつづき

商品区分	運用方針	商品名	信託報酬（%）
バランス型	インデックス	iFree　年金バランス	0.1749%
		セゾン・バンガード・ グローバルバランスファンド	0.57%±0.02% 程度
	アクティブ	SBIグローバル・バランス・ファンド 〔指定運用商品〕	0.2799% 程度
ターゲット イヤー型	アクティブ	セレブライフ・ストーリー2025	0.6598% 程度
		セレブライフ・ストーリー2035	0.6584% 程度
		セレブライフ・ストーリー2045	0.6593% 程度
		セレブライフ・ストーリー2055	0.6542% 程度
国内REIT	インデックス	〈購入・換金手数料なし〉 ニッセイリートインデックスファンド	0.275%以内
海外REIT	インデックス	三井住友・DC外国リート インデックスファンド	0.297%以内
コモディティ		三菱UFJ 純金ファンド （愛称：ファインゴールド）	0.99%程度
定期預金	—	あおぞらDC定期（1年）	—

（2021年10月現在）

楽天証券

商品区分	運用方針	商品名	信託報酬（%）
国内株式	インデックス	三井住友・DCつみたてNISA・日本株インデックスファンド	0.176%
		たわらノーロード　日経225	0.187%
	アクティブ	iTrust日本株式	0.979%
		MHAM日本成長株ファンド〈DC年金〉	1.705%
		フィデリティ・日本成長株・ファンド	1.683%
		コモンズ30ファンド	1.078%

商品区分	運用方針	商品名	信託報酬（%）
外国株式	インデックス	たわらノーロード　先進国株式	0.10989%
		インデックスファンド海外新興国（エマージング）株式	0.374%
		楽天・全米株式インデックス・ファンド（楽天・バンガード・ファンド（全米株式））	0.162%程度
	アクティブ	ラッセル・インベストメント外国株式ファンド（DC向け）	1.463%
		iTrust世界株式	0.979%
国内外株式	アクティブ	セゾン資産形成の達人ファンド	1.5500%
	インデックス	楽天・全世界株式インデックス・ファンド（楽天・バンガード・ファンド（全世界株式））	0.212%
国内債券	インデックス	たわらノーロード　国内債券	0.154%
	アクティブ	明治安田DC日本債券オープン	0.66%
外国債券	インデックス	たわらノーロード　先進国債券	0.187%
		たわらノーロード　先進国債券〈為替ヘッジあり〉	0.22%
		インデックスファンド海外新興国（エマージング）債券（1年決算型）	0.374%
	アクティブ	みずほUSハイイールドファンド〈DC年金〉	1.54%
バランス型	アクティブ	三井住友・DC世界バランスファンド（動的配分型）	1.292%
		三菱UFJ　DCバランス・イノベーション（KAKUSHIN）	0.66%
		投資のソムリエ〈DC年金〉	1.21%
	インデックス	セゾン・バンガード・グローバルバランスファンド	0.59%
		楽天・インデックス・バランス（DC年金）	0.163%程度
ターゲットイヤー型	アクティブ	楽天ターゲットイヤー2030	0.8575%
		楽天ターゲットイヤー2040	0.8575%
		楽天ターゲットイヤー2050	0.8675%
国内REIT	インデックス	三井住友・DC日本リートインデックスファンド	0.275%
	アクティブ	野村J-REITファンド（確定拠出年金向け）	1.045%
海外REIT	インデックス	三井住友・DC外国リートインデックスファンド	0.297%
コモディティ	インデックス	ステートストリート・ゴールドファンド（為替ヘッジあり）	0.895%
定期預金	—	みずほDC定期預金	—

（2021年10月現在）

Q 金融機関が破たんしたらiDeCoのお金はどうなるの?

A 商品を提供している機関が破たんした場合は全額保護されないケースもあります

▶運営管理機関や事務委託先金融機関が破たんしても、資産は守られる

窓口となる運営管理機関が破たんしても、資産が減ることはありませんが、新しい運営管理機関に資産を移すことになります(移換)。いったん現金化するので、移換完了まで運用指図ができない期間が生じるでしょう。

事務委託先金融機関が破たんした場合も、資産は全額守られ、新たな事務委託先金融機関に受け継がれます。

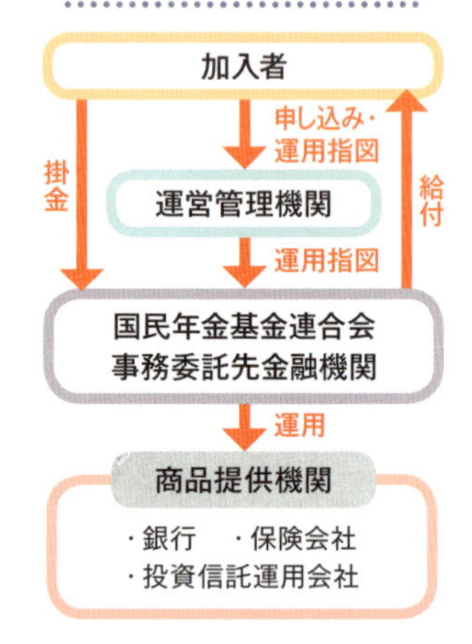

▶元本1000万円とその利息まで保護

では、商品提供機関が破たんした場合はどうなるかというと、これは商品ごとにちがいます。投資信託の場合、それにかかわる運用会社などが破たんしても、資産には影響しません。加入者の財産(委託財産)と、運用にかかわる会社自身の財産とは別に管理されているからです。

保険商品を提供する生命保険会社(または損害保険会社)が破たんした場合は、責任準備金(または返戻金)の90%までが補償されます。積み立てたお金の90%ではないので、注意してください。

定期預金を預けている銀行が破たんした場合は、ペイオフ(預金保険制度)の対象となります。iDeCoの預金とそれ以外の預金の合算で、元本1000万円までとその利息が全額保護されます。合算で1000万円を超える場合は、iDeCo以外の預金の保護が優先されます。

責任準備金:保険会社が将来の保険金や満期金の支払いのために積み立てている準備金のこと。保険業法によって、保有が義務付けられている。

レッスン**4**

安定運用か積極運用か

自分に合った金融商品の選び方

iDeCoの金融商品は多彩！
極力損したくない人も
積極的に投資したい人も
合った商品を探せます

Lesson4
運用は初心者でもプロでも難しい！

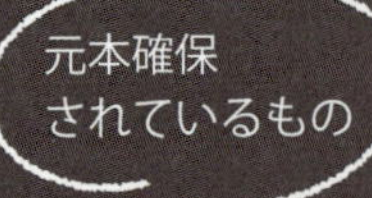

元本確保
されているもの

元本確保
されていないもの

iDeCo の金融商品は
この２つに
大きく分けられます

元本確保されて
いないものって？

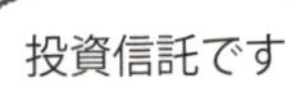

投資信託です

iDeCo では
株は扱っていないので
投資をするなら
投資信託になりますね

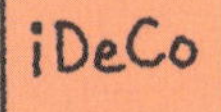

そういえば
先生はどうして
投資を始めたんですか？

もともと
編集者だったん
ですよ

株の本の企画を出したら
ボツになっちゃって……

それで
自分で株をやったら
説得できるかなと思って
始めたんです

最初に買ったトヨタの株が
翌日に値下がりしたんです
それにびっくりして
興味をもって
続けていたら……

ちがう人生に
なりました

ファイナンシャル
プランナー

株式会社
エフピー
ウーマン
社長

レッスン4
自分に合った金融商品の選び方

金融商品の選び方

「収益性、安全性、流動性」から商品の“性格”をつかむ

金融商品を選ぶ基準は「収益性」「安全性」「流動性」の3つ。
これを基準にすると、どんな商品なのかがわかります。

いよいよ、商品選びの話をしましょう。
マスター、商品を選ぶ基準ってご存じですか？

もちろん！　コーヒー豆は産地や豆の種類、栽培法、焙煎度合いでちがうんです。ぼくが好きなのはブラジル産の……

すみません。コーヒー豆じゃなくて、金融商品の話です……

iDeCoは60歳まで引き出せないので流動性は低い

金融商品にはたくさんの種類があります。自分に合う商品を見極めるにはどうしたらよいでしょうか。基準は「収益性」「安全性」「流動性」の３つです。

まず、収益性は、どのくらいの利益（リターン）を見込めるかということをいいます。安全性は、投資したお金（元本）が減ってしまったり、期待したリターンが得られなくなったりする可能性のことです。たとえば、銀行預金は元本が保証されていますので、安全性は非常に高いといえます。そして、現金にしやすいかどうかが、流動性です。

残念ながら、収益性、安全性、流動性の３つともに優れた金融商品はありません。iDeCoを利用する場合は、60歳まで引き出せないので、流動性はほぼゼロです。そのため、収益性と安全性から、商品を選ぶことになります。

金融商品を選ぶ基準は3つ

1．収益性

利益を
見込めるか

どれくらいの利益(リターン)を見込めるかどうか。値動きのブレ幅(リスク)が高いものほど、リターンが期待できるが、損失を被る可能性も高い。

基準

2．安全性

元本が保証
されているか

投資したお金が減ったり、予期せぬ損失を被る可能性はどうか。元本保証型の商品や発行元（銀行など）の信用が高い商品は、安全性が高いといえる。

基準

3．流動性

現金化
しやすいか

現金に換えやすいかどうか。満期などの条件があったり、不動産のように換金に時間がかかるものは流動性が低い。換金に手数料がかかるものも流動性は低いといえる。

iDeCoの流動性は
ほぼゼロ

収益性と安全性のバランスを検討する

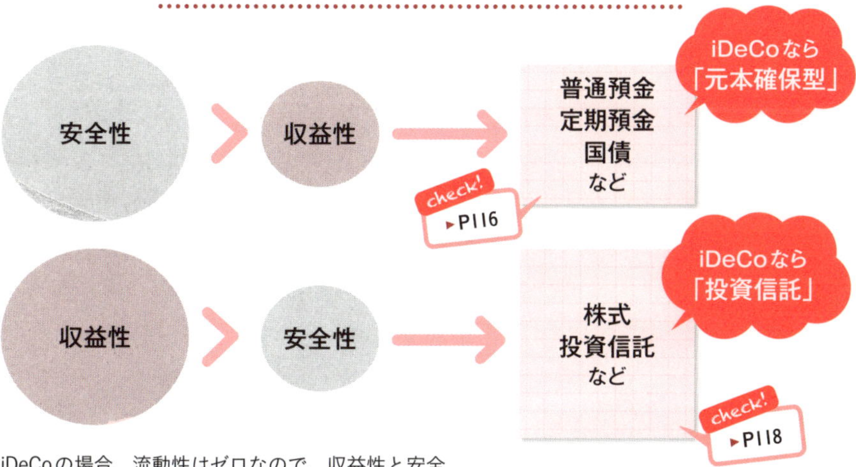

iDeCoの場合、流動性はゼロなので、収益性と安全性が商品選びの基準となる。安全性を重視するなら定期預金などの元本確保型、収益性を重視するなら投資信託となる。

iDeCoの金融商品①元本確保型

定期預金と貯蓄型の保険商品がある

iDeCoで元本が確保されている金融商品には
定期預金と貯蓄型の保険商品の2つがあります。

元本が確保される金融商品には「定期預金」と「貯蓄型の保険商品」があります

預金と保険ですね。iDeCoの商品としてはどうちがうんですか？

貯蓄型の保険商品のほうが、満期が長く金利が高い傾向があります。ただ、中途解約で元本割れすることもあるので、注意が必要です

定期預金なら、満期前に解約しても元本割れはしない

iDeCoの定期預金も、ふつうの銀行の定期預金と同じ。1年、3年、5年、10年などの満期を迎えると、利息を含めた元本で自動的に更新されます。満期前に解約すると、中途解約利率が適用されますが、元本割れはありません。

現在は金利が非常に低いので、定期預金の収益性はほぼありませんが、iDeCoでは、掛金が全額所得控除になるメリットがあります。安全に老後資金を貯めたいなら、ふつうの銀行の定期預金よりも、お得。このメリットを存分に活かすには、手数料の低い金融機関を選ぶことが大切です（P98）。

定期預金は、預けたときの金利が満期まで続く固定金利と、半年ごとに利率を見直す変動金利があります。景気が上向きで金利も上昇傾向にあれば、変動金利、景気が下向きで金利も下降傾向なら、固定金利が有利だといわれます。

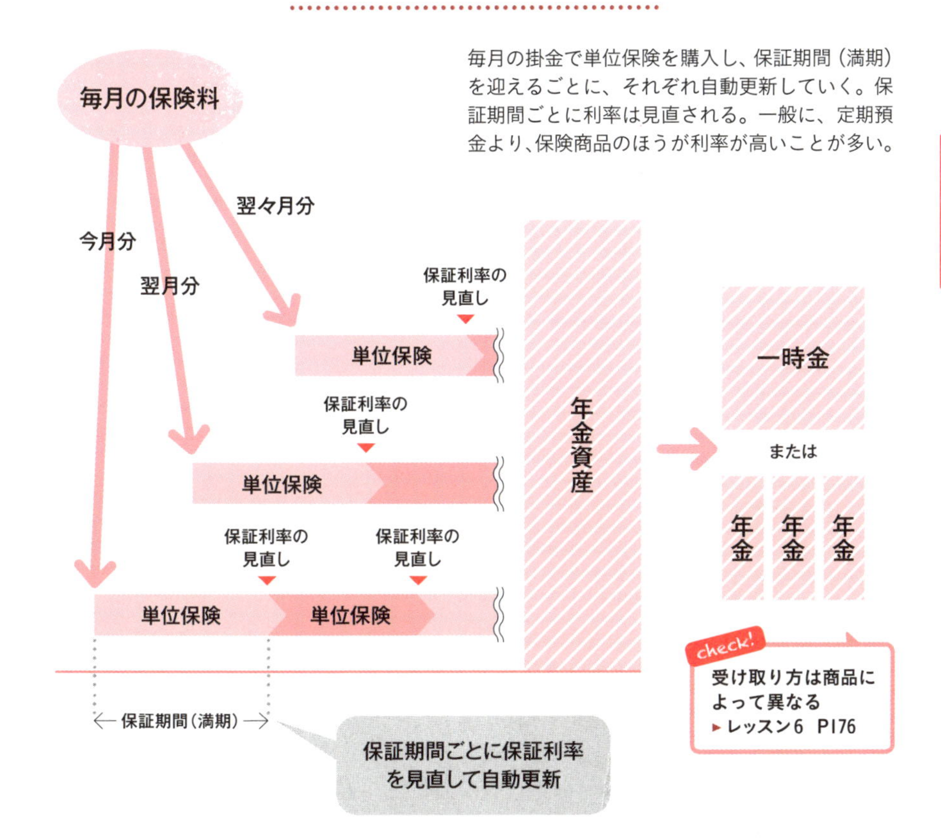

保険商品は中途解約時の「解約控除額」を確認しておく

iDeCoの保険商品は貯蓄型が基本。死亡時に掛金の何倍もの保険金がもらえるとか、入院時に給付金がもらえるということはありません。定期預金と同じように、5年、10年などの満期を迎えると、利息を含めた元本で自動更新されます。

定期預金とのちがいは2つあります。1つは、保険商品のほうが満期が長く、金利が高い傾向があること。もう1つは、元本割れの可能性があることです。中途解約をすると、「解約控除額」がペナルティとして積立金から差し引かれます。解約控除額によっては、元本割れすることもあるので要注意です。

ただ、60歳を過ぎて、給付金を受け取るために解約する場合は、解約控除は適用されないので安心です。また、給付金の受け取りのときに、終身年金が選択できる商品（保証期間付終身年金・P177）があるのは、保険商品だけです。

iDeCoの金融商品②投資信託

集めたお金をまとめて プロが株式や債券で運用する

元本が確保されていない金融商品が投資信託。
運用はプロが行うので初心者にも向いています。

投資信託とは“専門家を信じて投資を託す”という意味。たくさんの人から集めたお金を1つにまとめて、専門家が国内外の株式や債券などに分散投資して運用する商品です

お、リスクを抑える分散投資！
プロがやってくれるならラクチンですね！

とはいえ、元本は確保されません。利益が出ることもあれば、損をすることもありますからね

▶ 掛金5000円でも、世界中に手軽に分散投資ができる

「iDeCoは自分で運用する」となると、ハードルが高く感じるかもしれません。けれども、投資信託（投信、ファンドともいう）は、自分で相場を読んだり、売買のタイミングを考えたりする必要はありません。運用そのものは、プロ（ファンドマネージャー）にお任せなので、購入後はほとんど何もしなくてOK。

投資信託にはたくさんの種類があり、投資家から集めたお金を、世界中の株式や債券、外貨、不動産などに分散して運用しています。まとまった資金がなくても、iDeCoで毎月積み立てるなら、最低掛金5000円で、世界中に分散投資ができます。元本は確保されませんが、その分、リターンが期待できます。初心者が“貯めながら増やす”にはぴったりの金融商品といえるでしょう。

投資信託のしくみ

投信の利益はおもに2つ

売却益

投信の購入価格より売却価格が高くなることで得られる利益。

分配金

運用利益を一定期間で投資家に分配するお金。分配金を出さずに再投資に回す投信もある。

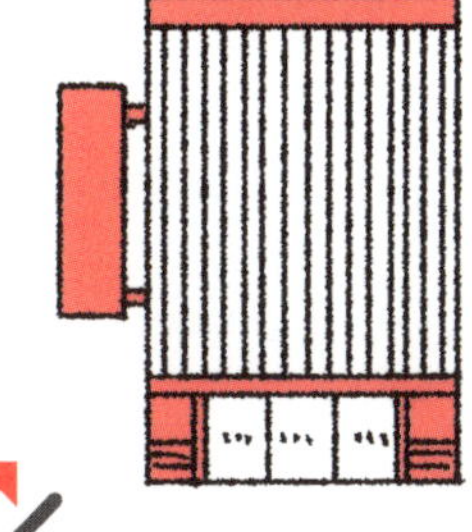

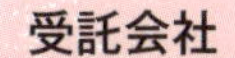

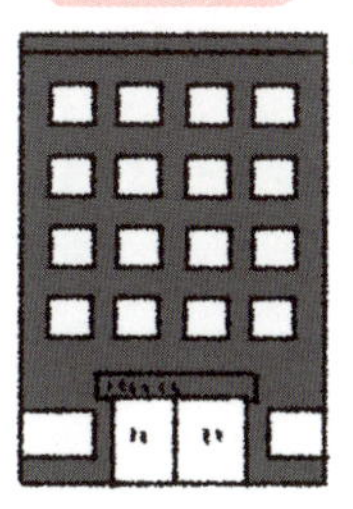

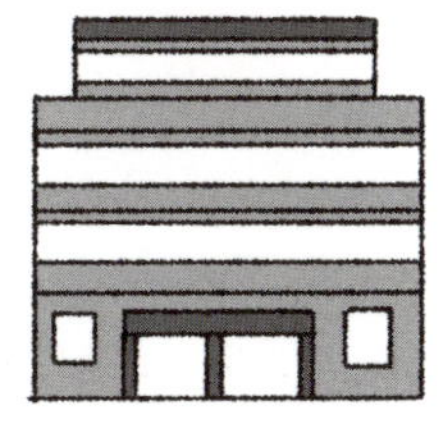

金融市場

投資信託には、株式や債券などに直接投資するものと、投資信託に投資するものがある。

株式　債券　外貨　不動産　投資信託

●ファンド・オブ・ファンズ

複数の投資信託に投資をするもので、iDeCoの商品にも多い。

●ファミリーファンド方式

複数の小さな投信（ベビーファンド）を通じて、同じ運用会社の大きな投信（マザーファンド）に投資をするもの。

もっと知りたい投資信託①

投資する対象によって4つのタイプに分けられる

たくさんの種類がある投資信託。まずは「何に投資しているのか」を見ていきましょう。

投資信託に少し興味が出てきました。でも種類がたくさんあって迷いそう……。どうやって選べばいいですか？

投資信託はまず“何に投資をしているのか”を見るといいですよ。大きく分けると「国内株式型」「外国株式型」「国内債券型」「外国債券型」の４つのタイプがあります

株式に投資できるのが、株式型

投資信託は、まず投資先を分けて整理してみましょう。

株式に投資しているものは「株式型」の投資信託です。ただし、これは、投資信託の運用方針に応じて、株式の組み入れ比率が０～100％まで自由に設定できるということ。株式型投資信託とはいっても、必ずしも株式を中心に投資しているとは限りません。実際のところ、何に投資しているかは、投資信託の目論見書（P130）や月次レポートでチェックするようにしましょう。

一方、株式を組み込まず、100％債券に投資するものは「債券型」となります。

投資信託は、株式型か債券型か、また国内か国外かによって、「国内株式型」「外国株式型」「国内債券型」「外国債券型」の４つのタイプに分けられます。投資先によって、投資信託の値動きは変わります。たとえば、値動きの激しい株式の投資比率が高ければ、その投資信託の値動きも大きくなります。また、外国株式型や外国債券型は為替の影響を受けるので、その分値動きが大きくなります。

投資信託は主に4タイプ

投資信託は4つに大別できる。こうした枠にとらわれずに投資するバランス型もある（P134）。

国内株式型

おもに日本株式に投資するタイプで、日本の上場銘柄が組み入れられている。中小株式中心の投資信託もある。株式の値動きが反映されるので、リスク・リターンも大きい。

国内債券型

日本国債など、おもに国内の公社債に投資するタイプ。値動きが少なく安定しているため、投資信託のなかでもリスク・リターンは小さめだが、金利変動リスクがある。

外国株式型

おもに外国株式に投資するタイプ。株価変動と為替変動の影響を受けるため、値動きが激しく、リスク・リターンも大きい。欧米を中心とする先進国型と、新興国型がある。

外国債券型

おもに、外国の公社債に投資するタイプ。欧米などの先進国型と、新興国型がある。株式よりも値動きは少なく安定しているが、金利変動と為替変動の影響を受ける。

keyword

新興国ファンド

日本や欧米に比べて、現在の経済水準は低いものの、人口増加を背景に、今後の発展が見込める国を「新興国（エマージングカントリーともいう）」と呼んでいます。特に経済発展が期待される国々は、「BRICs（ブリックス）」や「NEXT11（ネクストイレブン）」などのグループで表されます。

新興国ファンドとは、これらの新興国に投資する投資信託のこと。個人では難しい新興国への投資も、投資信託なら可能ですし、高いリターンも期待できます。

ただ、新興国は政治的に不安定だったり、市場が混乱したりする可能性も少なくありません。そのため、急激な価格変動が起こることも。

為替の影響も受けるので、新興国ファンドは資産のごく一部で投資するのがよいでしょう。

BRICs
ブラジル、ロシア、インド、中国

NEXT11
イラン、インドネシア、エジプト、韓国、トルコ、ナイジェリア、バングラデシュ、パキスタン、フィリピン、ベトナム、メキシコ

投資信託には「株式型」と「債券型」があるんですね。えーっと、株式と債券のちがいは……

株式は、企業が出資してもらった人に発行する証明書なので、企業に返済義務はありません。でも、債券はお金を貸したという借用証明書なので、発行側には返済義務があるんですよ。

債券は満期があるが株式にはない

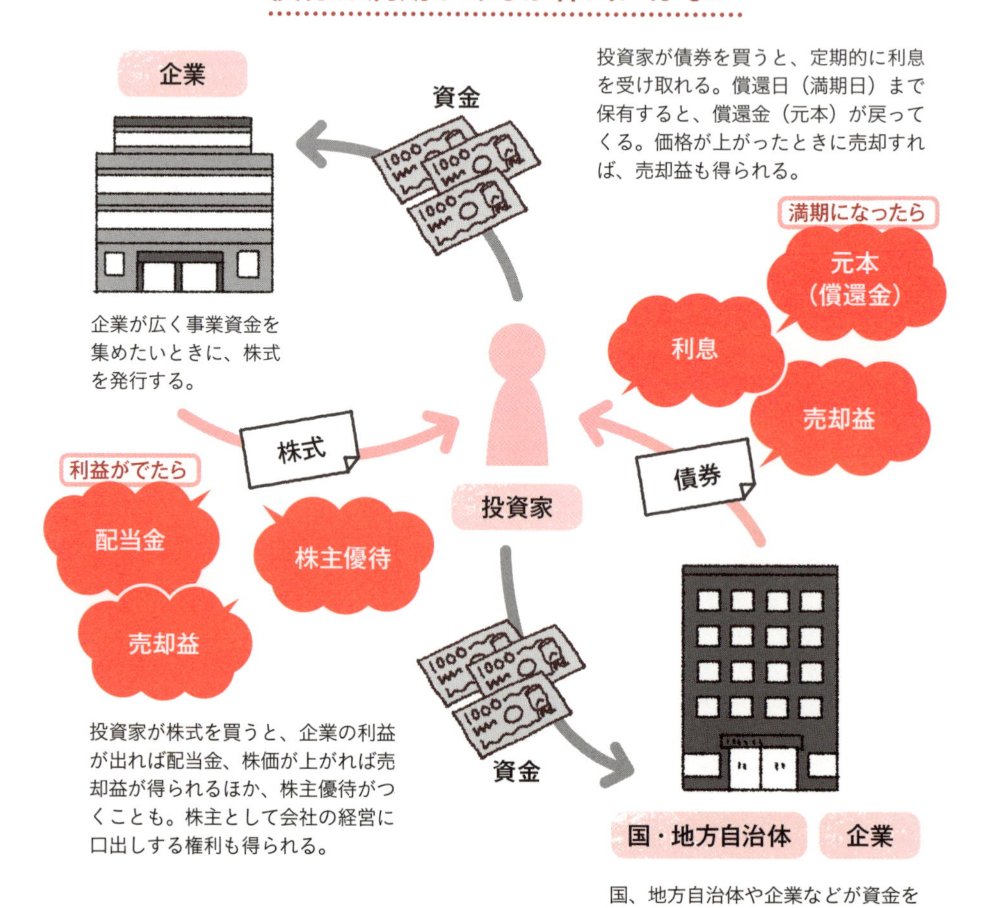

企業
資金
投資家が債券を買うと、定期的に利息を受け取れる。償還日（満期日）まで保有すると、償還金（元本）が戻ってくる。価格が上がったときに売却すれば、売却益も得られる。
満期になったら
元本（償還金）
利息
売却益
企業が広く事業資金を集めたいときに、株式を発行する。
株式
債券
投資家
利益がでたら
配当金
株主優待
売却益
資金
投資家が株式を買うと、企業の利益が出れば配当金、株価が上がれば売却益が得られるほか、株主優待がつくことも。株主として会社の経営に口出しする権利も得られる。
国・地方自治体
企業
国、地方自治体や企業などが資金を調達したいときに、債券を発行して資金を投資家から借りる。

株式型や債券型の投資信託以外に、近年話題になっているのが「REIT（リート）ファンド」と「コモディティファンド」です

REITファンドやコモディティファンドは何に投資しているんですか？

▶ 不動産や商品に投資する投資信託もある

「REITファンド」は不動産に投資する投資信託。なかでも日本の不動産に投資するものは「J-REITファンド」とも呼ばれます。投資家から集めた資金でオフィスビルやマンションなどを購入・運用します。そこから得た賃料収入や売却益を投資家に分配します。少額から不動産投資ができるうえ、高い分配金が見込めるとして、注目されています。「コモディティファンド」は、穀物やエネルギー、貴金属などの商品価格に連動するよう設計された投資信託。株式や債券とちがう値動きをするため、分散投資に利用できるといわれています。

投資対象によってリスクはちがう

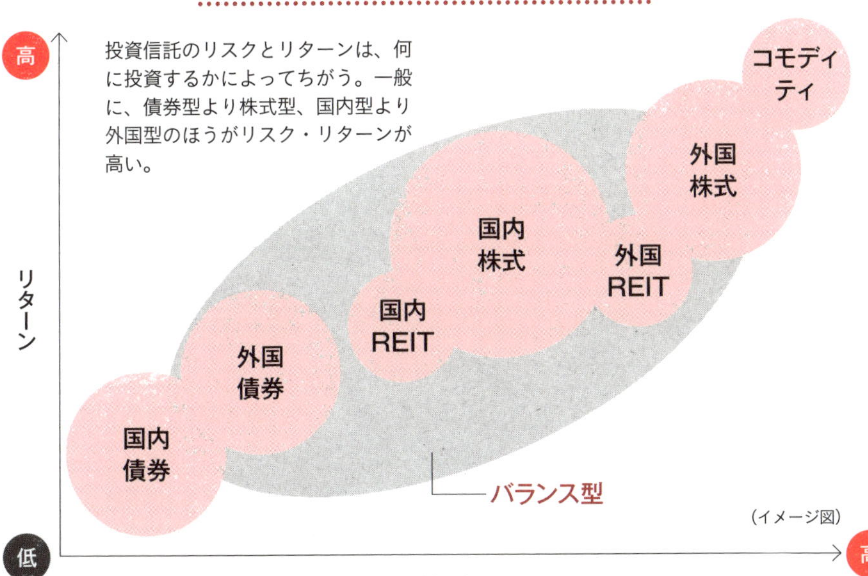

もっと知りたい投資信託②

投資対象のリスクが投資信託の値段を左右する

投資信託の値段は上がったり下がったりします。
変動の要因を知っておきましょう。

投資信託の「基準価額」つまり値段は、毎日変動します。これは、なぜだかわかりますか？

えっと、その投資信託が投資している株式や債券の値段が上がったり、下がったりするから？

大正解！　基準価額を左右する要因はほかにもあります。たとえば、海外の株式や債券に投資していれば、為替変動によって値段が変動することになります。

▶基準価額は、1日1回発表されている

投資信託の基準価額は、投資対象となる株式や債券などの値動きに伴って、変動します。そのため、株式や債券の時価評価をして経費を差し引いたものが、基準価額として1日に1回、公表されています。投資家が投資信託を買ったり、売ったりするときは、この基準価額で取引を行います。購入したときよりも、基準価額が値上がりしていれば、売却益が得られるというわけです。逆に下がっていれば、損をすることになります。

基準価額を左右する要因はさまざま。組み入れられている株式や債券の価格変動のほかに、為替変動も影響します。また、分配金が出るとその分、基準価額は下がることになります。

純資産総額：投資信託に組み入れられている株式や債券の時価総額から、未払い金などを差し引いた金額。純資産総額は、資金流入が増えたり運用状況がよいと増え、資金流出が増えたり運用状況が悪いと減る。

〈投資信託の価格〉

※1口1円の場合（1口1万円の投資信託もある）

基準価額＝純資産総額÷総口数×1万口

例）1口1円、純資産総額1200万円、総口数1000万口の場合
　　基準価額＝1200万÷1000万×1万口＝1万2000円

基準価額に影響するリスクはさまざま

価格変動リスク

投資信託に組み込まれている株式や債券の価格変動によるリスク。特に、値動きの激しい株式の比率が高い投信は、その影響を受けやすい。

金利変動リスク

市場の金利が変動するリスク。景気がよくなって金利が高くなると債券価格は下がり、景気が悪くなって金利が低くなると、債券価格は上がる。

為替変動リスク

為替レートの変動によるリスク。外国の株式や債券に投資する投資信託が影響を受ける。為替変動リスクを回避するよう設計された投資信託もある（為替ヘッジ）。

信用リスク

債券を発行している国や企業、地方自治体などの財務状況が悪化して、元本や利息を払えなくなるリスク。信用リスクの評価を行うのが信用格付業者。

keyword

口数

株式は「1株いくら」で取引されますが、投資信託の取引は「口」で行われます。実際の取引では1万口を基準とするのが一般的です。1口1万円の投資信託もありますが、ほとんどは1口1円、つまり1万口1万円から運用を開始します。

check!
分配金
▶P119

投資信託が分配金を出したときも基準価額は下がります

信用格付業者：債券を発行体の信用リスクを、客観的に評価し、ランク付けをする会社。格付投資情報センター、日本格付研究所、ムーディーズ・ジャパンなどがある。

もっと知りたい投資信託③

何を目標とするかで2つのタイプに分けられる

“ベンチマークに対してどのような運用をするか”によって「インデックス型」と「アクティブ型」に分けられます。

投資信託は、受動的なタイプの「インデックス型」と積極的なタイプの「アクティブ型」に分けることができます

インデックス型とアクティブ型はどうやって分けるんですか？

“目標とするベンチマークに対してどのような運用をしていくか”という運用方針で分けます

コストで選ぶなら、ベンチマークに連動するインデックス型

インデックス型は、ベンチマークである目標指数に連動するように、設計・運用される投資信託です。つまり、市場平均並みのリターンを目指すということ。管理はコンピュータで行われるので、手数料（信託報酬・P128）は低めです。

一方のアクティブ型は、ベンチマークを上回る、つまり市場平均以上のリターンを目指して設計・運用されます。ファンドマネージャー独自の市場調査や分析によって、高いリターンを目指します。その分、運用の手数料がインデックス型よりも高め。手数料が高くても、常に運用成績がよければ高いリターンが得られる可能性がありますが、実際、10年以上の長期で見ると、多くのアクティブ型はインデックス型の成績を下回っています。iDeCoは長期運用となりますし、手数料を抑えるためにもインデックス型がおすすめです。

インデックス型とアクティブ型の値動きのちがい

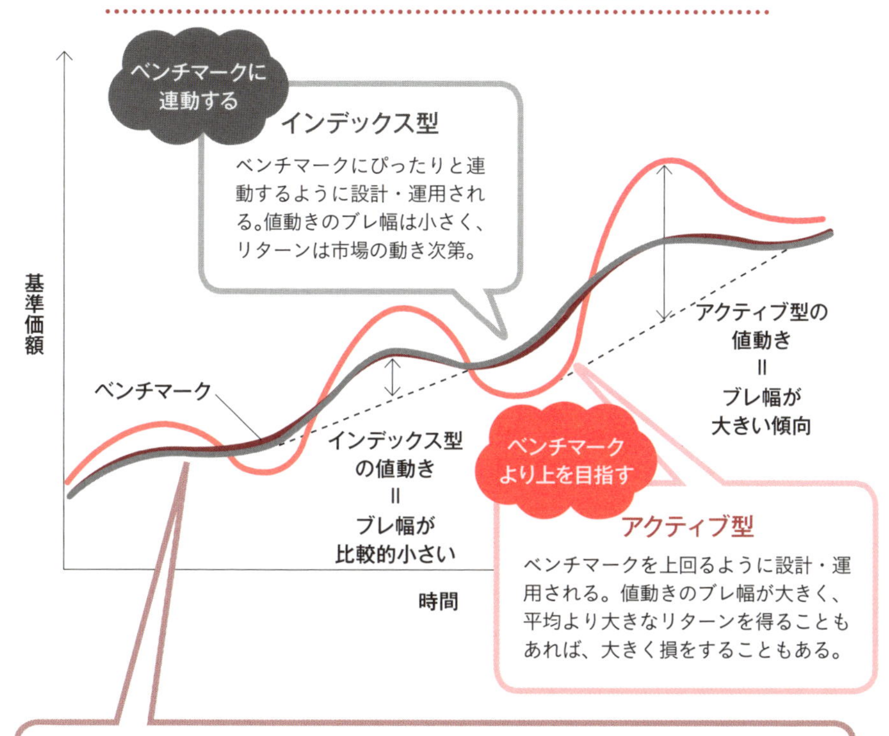

ベンチマークとなる代表的な指数

株式や債券で、それぞれ代表的な銘柄を組み入れたときの値動きが指数となる。

国内株式の指数	外国株式の指数
・日経平均株価（日経225） ・東証株価指数（TOPIX）	・MSCI コクサイ・インデックス（日本以外の先進国22カ国） ・MSCI ワールド・インデックス（先進国23カ国）
国内債券の指数	**外国債券の指数**
・NOMURA-BPI総合指数	・シティグループ世界国債インデックス

それぞれの投資信託のベンチマークは目論見書（もくろみしょ）で確認できます（P130）

投資信託選びのポイント①

信託報酬の低いものを選ぶのが原則

投資信託は手数料がかかります。運用している間、
ずっとかかるのが信託報酬です。

投資信託を見比べようとしたら「信託報酬」という言葉がよく出てきます。なんのことでしたっけ？

投資信託を保有している間、ずっとかかる手数料です。たとえば信託報酬が年0.73％の投信の場合、1日あたり0.002％（0.73÷365日）の手数料が信託財産から差し引かれているんです

そんなちょっとくらいなら、たいして変わらないんじゃないの？

いいえ、iDeCoのように運用期間が長いと、信託報酬の差が利益に大きく影響してくるんですよ！

投資信託のコストは3つ

販売手数料

購入時に、販売会社に払う手数料。iDeCoの投信のほとんどは、販売手数料は無料（ノーロード投信という）。

信託報酬

投資信託を保有している間にかかる運用管理手数料。信託財産に対し、年率0.2％程度～2.0％程度と幅がある。

信託財産留保額

投資信託の解約時にかかる手数料。一般に基準価額の0.3％ほどが信託財産から差し引かれるが、無料の投資信託もある。

信託財産：その投資信託が投資家から預かって保有している財産のこと。

信託報酬＝投信を保有している間、ずっと払い続ける手数料

実質的な利回り＝運用利回り（年）－信託報酬（年）となる

運用期間が長いと信託報酬の影響が大きい

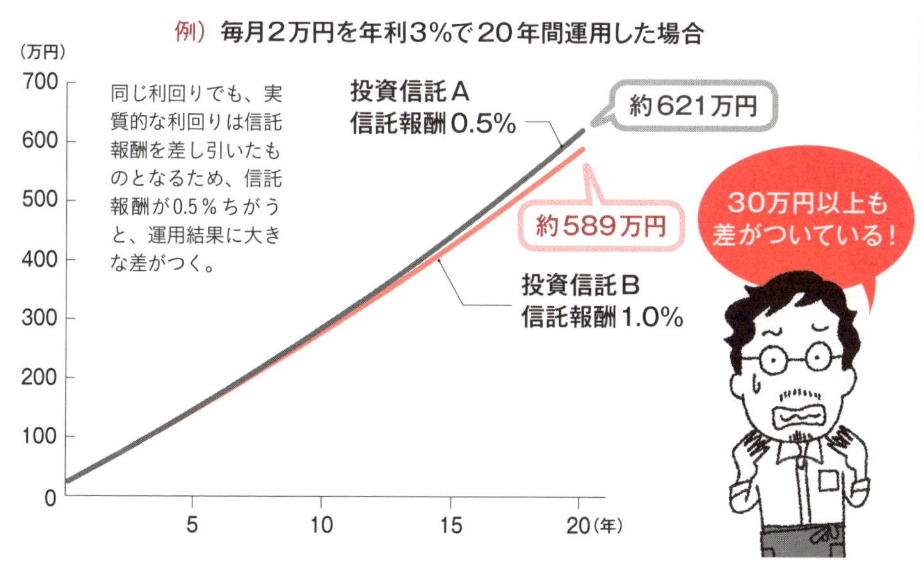

▶ 運用利回りは“予想”だが、手数料は“確実に”かかる

投資信託を選ぶとき、私たちはリターンがどのくらい得られるのかが気になるものです。しかし、これまでの実績はどうであれ、この先の利回りがどうなるかは誰にもわかりません。プロの予測でも外れるものですから。

一方、手数料は確実にかかります。特に重視すべきなのは信託報酬。信託報酬の差がたった年0.5％でも、掛金を何十年と積み立てて運用していけば、大きな差になります。掛金２万円で20年間運用した場合、30万円以上もの差！信託報酬ができるだけ低いものを選ぶのが、投資信託選びの大原則です。

投資信託選びのポイント②

投資先や運用実績を目論見書でチェックする

「目論見書」とは投資信託の説明書のこと。
必要な情報がギュッと詰まっています。

目論見書(もくろみしょ)には、投資対象や運用方針、リスク、運用実績など、重要な情報がギュッと詰まっています。投資信託を選ぶときは、必ず目を通すようにしてくださいね

わー！　小さな文字がいっぱい。
難しそうだけど、ぼくでもわかるかなぁ……

日本語だから大丈夫！　いっしょに確認していきましょう

▶ ポイントを押さえて、複数の投資信託の目論見書を見比べてみよう

投資信託選びの強い味方となるのが、目論見書。投資対象や運用方針、リスクや実績など、必要な情報がまとめられている文書で、要点をまとめた「交付目論見書」と詳細版の「請求目論見書」があります。請求すれば請求目論見書がもらえますが、通常は交付目論見書をチェックすればOK。交付目論見書は、口座を開いた金融機関や運用会社などのWebサイトで閲覧できます。

交付目論見書は、投資信託購入前に必ず目を通すことになっています。慣れない人はとっつきにくいかもしれませんが、ゆっくり読めば難しいものではありません。複数の投資信託の交付目論見書を見比べてみると、よくわかると思います。ポイントは次ページから説明していきます。

目論見書はここをチェックしよう

STEP1 投資先と運用方針を確認する

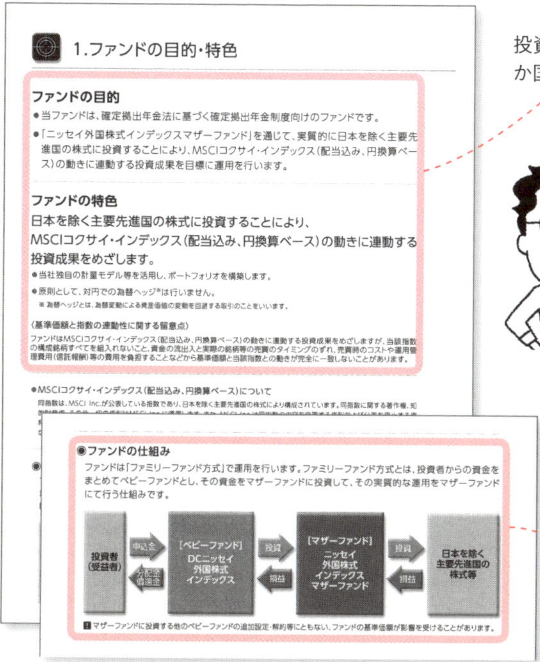

1.ファンドの目的・特色

ファンドの目的
- 当ファンドは、確定拠出年金法に基づく確定拠出年金制度向けのファンドです。
- 「ニッセイ外国株式インデックスマザーファンド」を通じて、実質的に日本を除く主要先進国の株式に投資することにより、MSCIコクサイ・インデックス（配当込み、円換算ベース）の動きに連動する投資成果を目標に運用を行います。

ファンドの特色
日本を除く主要先進国の株式に投資することにより、MSCIコクサイ・インデックス（配当込み、円換算ベース）の動きに連動する投資成果をめざします。
- 当社独自の計量モデル等を活用し、ポートフォリオを構築します。
- 原則として、対円での為替ヘッジ※は行いません。
  ※為替ヘッジとは、為替変動による資産価値の変動を回避する取引のことをいいます。

〈基準価額と指数の連動性に関する留意点〉
ファンドはMSCIコクサイ・インデックス（配当込み、円換算ベース）の動きに連動する投資成果をめざしますが、当該指数の構成銘柄すべてを組入れないこと、資金の流出入と実際の銘柄等の売買のタイミングのずれ、売買時のコストや運用管理費用（信託報酬）等の費用を負担することなどから基準価額と当該指数との動きが完全に一致しないことがあります。

- MSCIコクサイ・インデックス（配当込み、円換算ベース）について
  同指数は、MSCI Inc.が公表している指数であり、日本を除く主要先進国の株式により構成されています。同指数に関する著作権、知

◉ファンドの仕組み
ファンドは「ファミリーファンド方式」で運用を行います。ファミリーファンド方式とは、投資者からの資金をまとめてベビーファンドとし、その資金をマザーファンドに投資して、その実質的な運用をマザーファンドにて行う仕組みです。

マザーファンドに投資する他のベビーファンドの追加設定・解約等にともない、ファンドの基準価額が影響を受けることがあります。

資料：ニッセイアセットマネジメント株式会社

投資対象は株式か債券か、または国内か国外か。運用方針はどうかを確認。

株式や債券に直接投資するのか、ファンド・オブ・ファンズやファミリーファンド方式（P119）など投信のしくみを確認。

STEP2 リスクを確認する

投資信託の基準価額に影響するリスクをチェック。外国資産に投資するものだと、為替変動リスクがある。

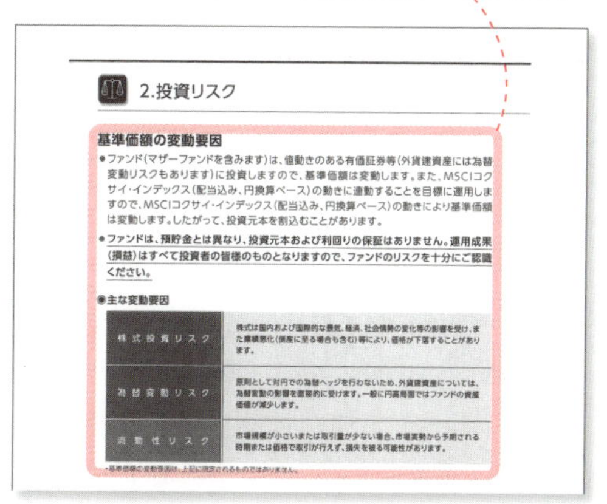

2.投資リスク

基準価額の変動要因
- ファンド（マザーファンドを含みます）は、値動きのある有価証券等（外貨建資産には為替変動リスクもあります）に投資しますので、基準価額は変動します。また、MSCIコクサイ・インデックス（配当込み、円換算ベース）の動きに連動することを目標に運用しますので、MSCIコクサイ・インデックス（配当込み、円換算ベース）の動きにより基準価額は変動します。したがって、投資元本を割込むことがあります。
- ファンドは、預貯金とは異なり、投資元本および利回りの保証はありません。運用成果（損益）はすべて投資者の皆様のものとなりますので、ファンドのリスクを十分にご認識ください。

◉主な変動要因

株式投資リスク	株式は国内および国際的な景気、経済、社会情勢の変化等の影響を受け、また業績悪化（倒産に至る場合も含む）等により、価格が下落することがあります。
為替変動リスク	原則として対円での為替ヘッジを行わないため、外貨建資産については、為替変動の影響を直接的に受けます。一般に円高局面ではファンドの資産価値が減少します。
流動性リスク	市場規模が小さいまたは取引量が少ない場合、市場実勢から予期される時期または価格で取引が行えず、損失を被る可能性があります。

※基準価額の変動要因は、上記に限定されるものではありません。

流動性リスク：流動性とは、金融商品の換金しやすさのこと。何らかの事情で換金ができない、換金しても損をする可能性があるなどの場合、流動性リスクが高いという。

STEP3 運用実績を確認する

純資産総額が徐々に増えていればOK。目安として30億円以上あれば安定した運用ができるといえる。

基準価額はマーケットの影響を受けるので、基準価額の推移だけで投資信託のよしあしを判断することはできない。

純資産総額は30億円以上が1つの目安。基準価額は、設定時からどのくらい変動しているかをチェック。

投資先に組み入れている地域や銘柄がわかる。

分配金を出すと、純資産総額が減ってしまう。長期運用のiDeCoなら分配金を再投資に回す投資信託のほうが複利効果が狙える。

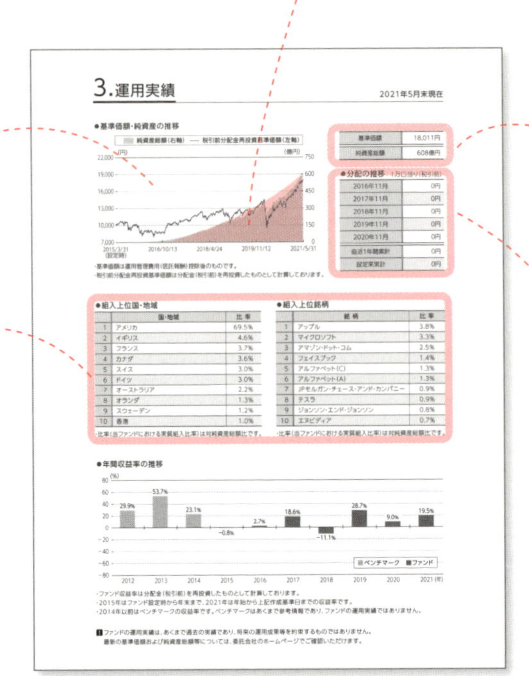

3.運用実績

2021年5月末現在

●基準価額・純資産の推移

・基準価額は運用管理費用（信託報酬）控除後のものです。
・税引前分配金再投資基準価額は分配金（税引前）を再投資したものとして計算しております。

基準価額	18,011円
純資産総額	608億円

●分配の推移 1万口当り（税引前）

2016年11月	0円
2017年11月	0円
2018年11月	0円
2019年11月	0円
2020年11月	0円
直近1年間累計	0円
設定来累計	0円

●組入上位国・地域

	国・地域	比率
1	アメリカ	69.5%
2	イギリス	4.6%
3	フランス	3.7%
4	カナダ	3.6%
5	スイス	3.0%
6	ドイツ	3.0%
7	オーストラリア	2.2%
8	オランダ	1.3%
9	スウェーデン	1.2%
10	香港	1.0%

・比率（当ファンドにおける実質組入比率）は対純資産総額比です。

●組入上位銘柄

	銘柄	比率
1	アップル	3.8%
2	マイクロソフト	3.3%
3	アマゾン・ドット・コム	2.5%
4	フェイスブック	1.4%
5	アルファベット(C)	1.3%
6	アルファベット(A)	1.3%
7	JPモルガン・チェース・アンド・カンパニー	0.9%
8	テスラ	0.9%
9	ジョンソン・エンド・ジョンソン	0.8%
10	エヌビディア	0.7%

・比率（当ファンドにおける実質組入比率）は対純資産総額比です。

●年間収益率の推移

・ファンド収益率は分配金（税引前）を再投資したものとして計算しております。
・2015年はファンド設定時から年末まで、2021年は年始から上記作成基準日までの収益率です。
・2014年以前はベンチマークの収益率です。ベンチマークはあくまで参考情報であり、ファンドの運用実績ではありません。

ファンドの運用実績は、あくまで過去の実績であり、将来の運用成果等を約束するものではありません。
最新の基準価額および純資産総額等については、委託会社のホームページでご確認いただけます。

最新の運用状況は月次レポートでわかるよ。
運用会社などのWebサイトを見てね！

▶ 純資産総額が右肩上がりに増えているかが重要

たくさんの投資家から、お金を集めれば集めるほど、純資産総額は増えていきます。逆に、運用成績が振るわず、投資信託の解約が増えると、純資産総額は減ります。資産が減ってしまうと、安定した運用ができなくなり、最悪の場合、繰り上げ償還（期限前に投資家に償還する）になってしまうことも。

純資産総額は、いわば投資信託の人気のバロメーターともいえるでしょう。純資産総額が大きいほど、投資の選択肢が増えて、安定した運用がしやすくなります。純資産総額が右肩上がりに増えていて、30億円以上あるかどうかが、よい投資信託かどうかを見極める1つの目安になります。

STEP4 分配金やコストを確認する

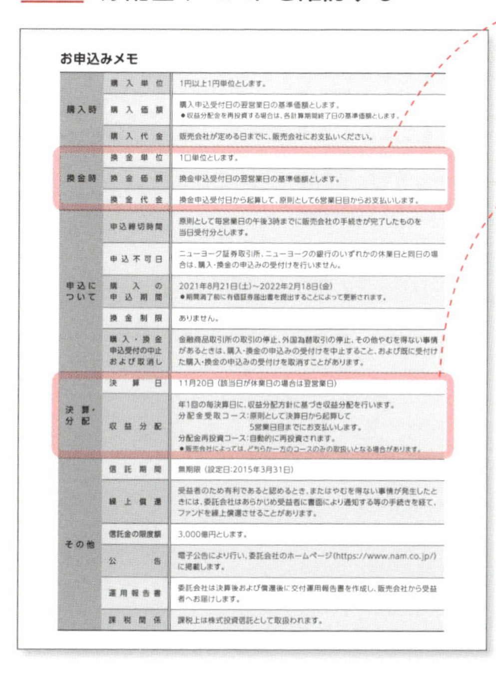

お申込みメモ

購入時	購入単位	1円以上1円単位とします。
	購入価額	購入申込受付日の翌営業日の基準価額とします。 ●収益分配金を再投資する場合は、各計算期間終了日の基準価額とします。
	購入代金	販売会社が定める日までに、販売会社にお支払いください。
換金時	換金単位	1口単位とします。
	換金価額	換金申込受付日の翌営業日の基準価額とします。
	換金代金	換金申込受付日から起算して、原則として6営業日目からお支払いします。
申込について	申込締切時間	原則として毎営業日の午後3時までに販売会社の手続きが完了したものを当日受付分とします。
	申込不可日	ニューヨーク証券取引所、ニューヨークの銀行のいずれかの休業日と同日の場合は、購入・換金の申込みの受付けを行いません。
	購入の申込期間	2021年8月21日(土)~2022年2月18日(金) ●期間満了前に有価証券届出書を提出することによって更新されます。
	換金制限	ありません。
	購入・換金申込受付の中止および取消し	金融商品取引所の取引の停止、外国為替取引の停止、その他やむを得ない事情があるときは、購入・換金の申込みの受付けを中止すること、および既に受付けた購入・換金の申込みの受付けを取消すことがあります。
決算・分配	決算日	11月20日（該当日が休業日の場合は翌営業日）
	収益分配	年1回の毎決算日に、収益分配方針に基づき収益分配を行います。 分配金受取コース：原則として決算日から起算して5営業日目までにお支払いします。 分配金再投資コース：自動的に再投資されます。 ●販売会社によっては、どちらか一方のコースのみの取扱いとなる場合があります。
その他	信託期間	無期限（設定日:2015年3月31日）
	繰上償還	受益者のため有利であると認めるとき、またはやむを得ない事情が発生したときには、委託会社はあらかじめ受益者に書面により通知する等の手続きを経て、ファンドを繰上償還させることがあります。
	信託金の限度額	3,000億円とします。
	公告	電子公告により行い、委託会社のホームページ(https://www.nam.co.jp/)に掲載します。
	運用報告書	委託会社は決算後および償還後に交付運用報告書を作成し、販売会社から受益者へお届けします。
	課税関係	課税上は株式投資信託として取扱われます。

投資信託を解約して換金するときの値段や代金の支払いはどうなるのかを確認。

分配金はあるか、ある場合はいつ支払われるのかを確認。この投資信託は分配金受取コースと再投資コースが選択できる。

落ち着いて読めばぼくでもわかってきたぞ！

日本語ですから!!

コストを確認。この投資信託の場合、購入時手数料（販売手数料）や信託財産留保額は無料で、信託報酬のみかかる。

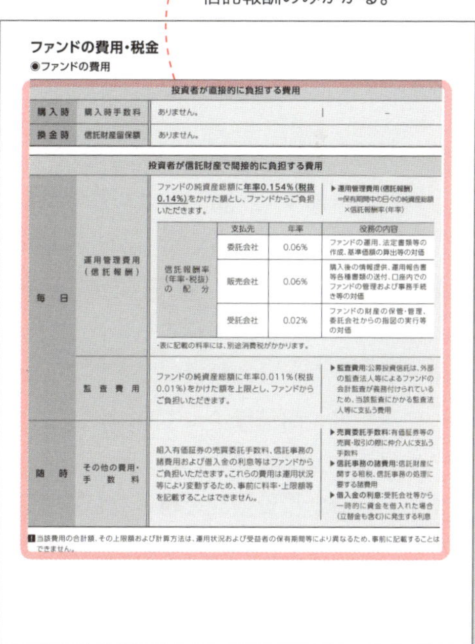

ファンドの費用・税金

◉ファンドの費用

投資者が直接的に負担する費用			
購入時	購入時手数料	ありません。	–
換金時	信託財産留保額	ありません。	

投資者が信託財産で間接的に負担する費用			
毎日	運用管理費用（信託報酬）	ファンドの純資産総額に年率0.154%（税抜0.14%）をかけた額とし、ファンドからご負担いただきます。	▶運用管理費用（信託報酬）＝保有期間中の日々の純資産総額×信託報酬率（年率）
	監査費用	ファンドの純資産総額に年率0.011%（税抜0.01%）をかけた額を上限とし、ファンドからご負担いただきます。	▶監査費用：公募投資信託は、外部の監査法人等によるファンドの会計監査が義務付けられているため、当該監査にかかる監査法人等に支払う費用
随時	その他の費用・手数料	組入有価証券の売買委託手数料、信託事務の諸費用および借入金の利息等はファンドからご負担いただきます。これらの費用は運用状況等により変動するため、事前に料率・上限額等を記載することはできません。	▶売買委託手数料：有価証券等の売買・取引の際に仲介人に支払う手数料 ▶信託事務の諸費用：信託財産に関する租税、信託事務の処理に要する諸費用 ▶借入金の利息：受託会社等から一時的に資金を借入れた場合（立替金も含む）に発生する利息

信託報酬率（年率・税抜）の配分	支払先	年率	役務の内容
	委託会社	0.06%	ファンドの運用、法定書類等の作成、基準価額の算出等の対価
	販売会社	0.06%	購入後の情報提供、運用報告書等各種書類の送付、口座内でのファンドの管理および事務手続き等の対価
	受託会社	0.02%	ファンドの財産の保管・管理、委託会社からの指図の実行等の対価

・表に記載の料率には、別途消費税がかかります。

❶当該費用の合計額、その上限額および計算方法は、運用状況および受益者の保有期間等により異なるため、事前に記載することはできません。

ファンド・オブ・ファンズの場合は、投資先の投資信託の信託報酬もかかります。“実質的な信託報酬”を必ずチェックしましょう

check!
投資信託のコスト
▶P128

投資信託選びのポイント③

とにかくラクに運用したいならバランス型

信託報酬も目論見書もチェックしたけどまだ迷う……。
そんな人におすすめなのがバランス型ファンドです。

信託報酬の低いもので、分散投資となると……。
コレとアレと、あ、配分はどうしよう？

先生！　マスターが商品選びで悩んじゃって
仕事が進まないんです

それは困りますね。では、初心者向けの「バランス型ファンド」を紹介しましょう

コストさえ気をつければ"ほったらかし"の運用でOK

投資信託は種類が豊富なことから、どれを選んで組み合わせればよいか迷う人も多いかもしれません。そんな人におすすめなのが、バランス型ファンド。投資先が１つではなく、複数の資産に投資するものです。たとえば国内外の株式と国内外の債券などあらかじめ資産が組み合わせてあるので、自分でイチから選ぶよりラクに分散投資ができます。どの資産をどのくらいの比率で組み入れているかは、商品によってちがいます。均等配分のタイプや株式比率が固定されているタイプのほか、株式比率が徐々に減っていくタイプもあります。

また、自分で投資信託を組み合わせて運用するなら、途中で投資比率の調整（リバランス・P156）を行う必要があります。けれども、バランス型ファンドなら自動的に調整してくれるため手間がかかりません。ただ、バランス型ファンドは信託報酬が高めのものが多いので、そこは注意して選んでください。

バランス型ファンドにもさまざまなタイプがある

均等配分

外国株式 25%
国内債券 25%
外国債券 25%
国内株式 25%

国内株式、外国株式、国内債券、外国債券の４つを均等に組み合わせているタイプ。

株式比率を固定

株式 30%　債券 70%
債券 50%　株式 50%
債券 30%　株式 70%

株式の比率を固定したもの。株式比率の低いもの（左）から順に、「安定型、安定成長型、成長型」などとも呼ばれる。

ターゲットイヤー型

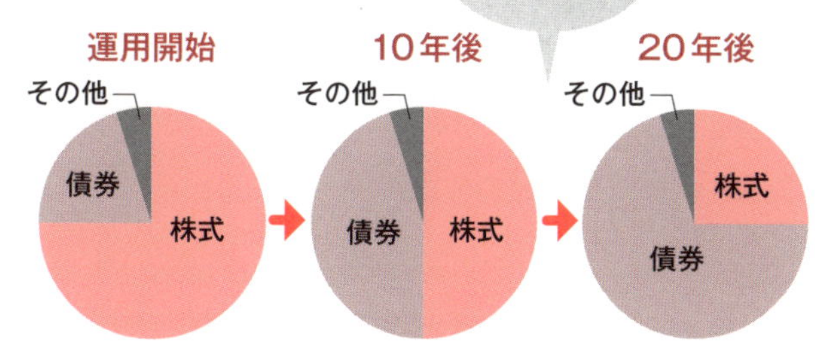

20年後など、ある時点を目指して、株式の比率を徐々に下げるもの。
投資家の年齢に合わせてリスクを自動的に下げるのが目的。

タクティカル・アセット・アロケーション型

景気や市場の変化に応じて、臨機応変に投資先やその比率を変えていくもので、略してTAA型という。信託報酬は高め。

check!
リバランス
▶P156

投資比率は株式や債券などの値動きで変わってきますが、バランス型ファンドはそれを自動的に調節してくれるんですよ

それなら悩む必要もないし楽チンですね〜。
じゃあバランス型ファンドから選ぼうかな！

マスター！
いい加減に仕事してくださいよっ！

iDeCoの

運用プランのつくり方

これまでのレッスンで資産運用の基礎知識はバッチリ。
特別講座では運用プランのつくり方を伝授します。

ではいよいよ具体的な運用プランをつくっていきましょう。次の手順で考えます

1. 投資をするかしないか、また何にどのくらい投資するかを決める
2. 商品を選ぶ（ポートフォリオの作成）

運用プランをつくる前に確認すること

1. 目標利回りと運用に使える金額

iDeCoの掛金額（年間）［　　　］円 check! ▶P78

目標利回り（期待するリターン）［　　　］% check! ▶P79

iDeCoの掛金額（年間）と、目標とする利回りを確認する。次に、期待するリターンと自分のリスク許容度を比較し、目標利回りを調整する。

2. 目標利回りとリスク許容度を比べる

check! ▶P88

目標利回り（期待するリターン）［　　　］%［　　］自分のリスク許容度［　　　］%

≦……目標利回りでの運用を目指す
>……リスク許容度に合わせて目標利回りを調整する（下げる）

例）**目標利回り4%、リスク許容度15%の場合**

4% ＜ 15%　　4%の利回り（リターン）を目安に商品を探す。

ポートフォリオ：金融商品の組み合わせのこと。特に、具体的な商品名も含めた詳細な一覧のことをいう。

1 元本確保型で運用する

できる限り損をしたくないという人は元本確保型で運用することになります

元本確保型の定期預金と保険商品では、どちらがいいんですか？

満期まで解約しないなら、保険商品のほうが利率は高めです

▶ “いずれ投資信託での運用もアリ”なら定期預金で

元本確保型の商品100％で運用する場合、定期預金と貯蓄型の保険商品のどちらがよいのでしょうか。一般的に、満期の長い貯蓄型の保険商品のほうが、利率が高めです。したがって、満期まで解約しないのなら、保険商品がおすすめ。また、終身年金での受け取りを希望するなら、生命保険会社が提供する「保証期間付終身年金（P176）」を選ぶことになります。

けれど、「もう少し勉強したら投信を始めたい」など、いずれは投資信託で運用する可能性もあるなら、定期預金のほうがよいでしょう。保険商品は中途解約のペナルティで元本割れすることがありますが、定期預金なら中途解約をしても、元本割れをすることはないからです。

keyword

インフレリスク

世の中のモノやサービスの価格が上がり続けることを「インフレ（インフレーション）」といいます。インフレが起こると、相対的にお金の価値は下がります。これまで100円で買えたものが買えなくなるわけですから。インフレでお金の価値が下がるリスクを、インフレリスクといいます。インフレリスクが最も大きいのが現金です。長年、デフレ（物価が下がり続ける）が続いていた日本ですが、今後の物価上昇率にも注目してみましょう。

2 元本確保型＋投資信託で運用する

元本確保型はインフレリスク（P137）があります。受給時の税負担に備える意味でも、運用期間が５年以上あるなら、資産の一部を投資信託で運用してみてはどうでしょうか。

check! 投資信託 ▶P120

▶ インフレリスクと受給時の税金に備える

元本確保型100％の運用なら元本が減ることはありませんが、インフレでお金の価値が下がったら、実質的な価値は目減りします。また、iDeCoは給付時に税金がかかります。優遇措置はあるものの、iDeCoの年金資産や企業年金の金額によっては、税金を払わざるを得ないことも（レッスン６・P162～）。

掛金が多ければ節税分でカバーできるかもしれませんが、何だかもったいない話ですよね。インフレリスクと受給時の税金に備えるなら、元本確保型に投資信託を組み合わせた運用がおすすめです。自分のリスク許容度に合わせて、投資信託を30～50％くらい組み込んでみてはどうでしょうか。

3 投資信託で運用する

初心者向け ▶▶ バランス型ファンドを活用する

ぼく、投資信託で運用したいんだけど、何にどのくらいの割合で投資すればいいのかわからないんです……

そんな初心者の人におすすめなのが、バランス型ファンドです。あらかじめ分散投資されているので、自分の感覚に合うものを１本選べばOKですよ

バランス型ファンドの探し方

モーニングスター
(http://www.morningstar.co.jp/)

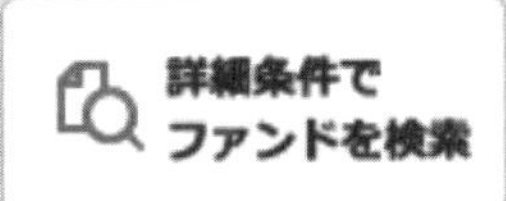

トップページの右上にある「詳細条件でファンドを検索」をクリックする。

↓

条件を入力して検索

・カテゴリー ⟶ バランス型
・ファンド種類 ⟶ DC専用

カテゴリーの「バランス型」と、ファンド種類の「DC専用」をチェックして、検索すると、バランス型ファンドの一覧が出る。これ以外のバランス型ファンドは、各金融機関のサイトでチェックを。

ココをチェック
□リターン □信託報酬
□リスク □純資産額
□資産構成

資産と地域の配分を見る

例）バランス型ファンド（8資産均等配分）

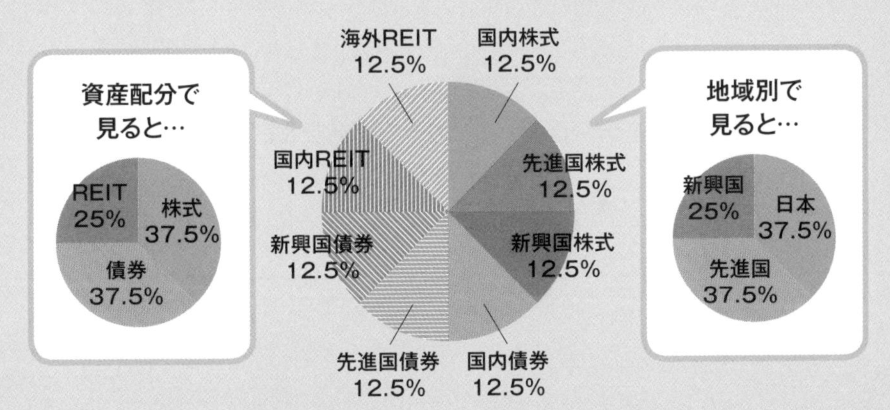

▶ファンド内の資産配分をチェックして自分に合うものを選ぶ

バランス型ファンドの配分は、商品によってちがいます。株式や債券などの資産の比率と、投資地域の比率をチェックして、自分の感覚に合うものを選びましょう。若いうちは、より大きなリターンが狙える株式比率が、50%以上などの高いものでOK。ただ、50歳を過ぎたら株式比率の低い商品に入れ替えるか、掛金のなかでの投資比率を減らしたほうが安心です。このような調整の手間を省きたければ、ターゲットイヤー型という選択肢もあります（P135）。

株式の比率が高いほうがリスクは高くなるんですよね？

はい。株式やREIT、新興国など、値動きの大きいものの比率でリスクを調整していきます

バランス型ファンドと、別の投資信託を組み合わせてもいいですか？

もちろん大丈夫です！　iDeCoは割合で指定するので、たとえば掛金２万円のうち、バランス型ファンドを90％、外国株式のインデックス型ファンドを10％という買い方もできますよ

▶ 株式の比率が高いほうがiDeCoのメリットは活かせる

iDeCoには、運用利益が非課税になるというメリットがあります。そして、60歳まで引き出せないので、多くの場合、長期運用になります。これらを存分に活かすには、より大きなリターンが期待できるものをiDeCoで運用するのがベスト。複利効果によって資産を大きく増やせる可能性が高くなります。

長期的に高いリターンが見込めるのは、株式です。バランス型ファンドは国内株式の比率が高いものが多いようです。国内株式より高いリターンが見込める外国株式や新興国株式を増やしたい。そんなときは、バランス型ファンドに、外国株式型ファンドや新興国ファンド(P121)を組み合わせる方法もあります。

複数の投資信託を組み合わせた場合は、右図のように、それぞれの投資先に、いくらの掛金を積み立てることになるのかを計算してみましょう。掛金に対する資産ごとの比率を出したら、リターンとリスクをシミュレーションしてみます（P143）。そして、P136で確認したリスク許容度や目標利回りと合っているかどうかをチェックしてみてください。もし合わなければ、組み合わせた投資信託の配分を調整して、ちょうどよいバランスを探しましょう。

バランス型ファンドに別のファンドを追加する

バランス型ファンド

90%（1万8000円）

毎月２万円の掛金で、均等配分のバランス型ファンドに90％、外国株式のインデックス型ファンドに10％とする。

外国債券 25%
国内株式 25%
国内債券 25%
外国株式 25%

外国株式のインデックス型ファンド

10%（2000円）

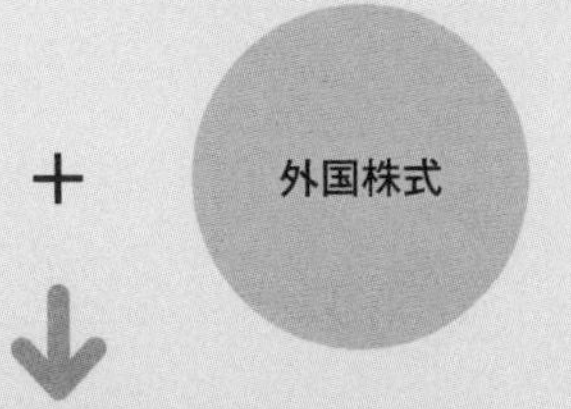

	国内株式	外国株式	国内債券	外国債券
バランス型ファンド（1万8000円）	4500円（25%）	4500円（25%）	4500円（25%）	4500円（25%）
外国株式のインデックス型ファンド		2000円		
合計	4500円	6500円	4500円	4500円

資産ごとに掛金に対する比率を計算する。バランス型ファンドは１万8000円×25％で4500円ずつとなる。

外国債券 22.5%
国内株式 22.5%
国内債券 22.5%
外国株式 32.5%

この比率でリターンとリスクをシミュレーションする ▶P143

Q 複数のファンドを組み合わせたときのコストは？

A 加重平均で考えます

まず、年間の掛金に対する、各ファンドの割合を出します。ファンドAなら50％です。そして「割合×信託報酬」を合算すると、全体の信託報酬（年率）が算出できます。

例）年間24万円で3つのファンドを購入した場合

ファンドC（0.3%）25%
ファンドA（0.5%）50%
ファンドB（0.2%）25%

＊（　）内は信託報酬

(0.5×0.5)＋(0.2×0.25)
＋(0.3×0.25)
＝0.25＋0.05＋0.075
＝0.375%

年間の信託報酬

本格派向け ▶▶ 自分で資産を配分してプランをつくる

バランス型ファンドとはちがう配分を、自分で組みたいときはどうすればいいですか？

シミュレーションサイトを利用しましょう。配分や金額を入力すると、過去のデータに基づいたリスクやリターンを算出してくれます

▶ iDeCoだけでなく、資産全体で配分を考える

自分で資産配分を考えるなら、右に紹介したシミュレーションサイトが便利。国内株式や外国債券などの資産ごとに、比率（または金額）を入力すると、リスクやリターンを算出してくれます。

資産配分はiDeCoだけでなく、資産全体で考えましょう。銀行の預貯金のほか、証券会社の口座やNISAも使っていれば、いっしょに配分を考えてください。資産の置き場と資産配分を下の表のようにまとめるとわかりやすいと思います。各資産の金額を書き込んでもOK。ときどきは見直して調整を。

資産の置き場と資産の配分

例）

資産の置き場			国内株式	外国株式	国内債券	外国債券	預貯金
	課税口座	銀行					普通預金
	課税口座	証券会社					
	非課税口座	iDeCo	バランス型ファンド	バランス型ファンド	バランス型ファンド	バランス型ファンド	
	非課税口座	NISA		インデックス型ファンド			

「使う財布（P77）」のお金はいつでも引き出せる普通預金に。iDeCoはバランス型ファンドで長期的に運用。運用益非課税のNISAでは外国株式型ファンドで高いリターンを狙う。

この表は投資教育家の岡本和久さんのアイデアをお借りしました

＊参考：岡本和久著『自分でやさしく殖やせる「確定拠出年金」最良の運用術』（日本実業出版社）

資産配分をシミュレーションしてみよう

わたしのインデックス my INDEX

http://myindex.jp/ ➡ 資産配分ツール ➡ ログイン

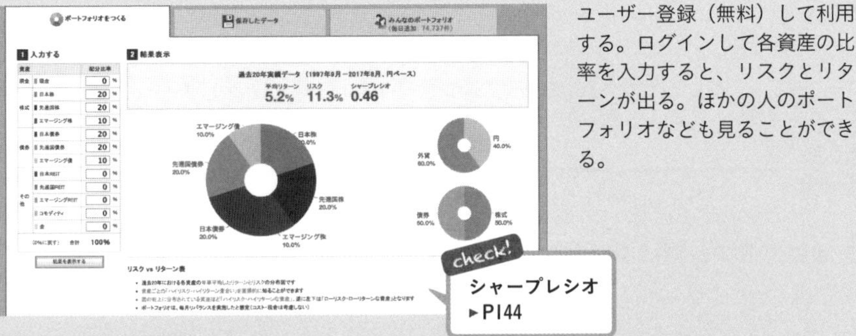

ユーザー登録（無料）して利用する。ログインして各資産の比率を入力すると、リスクとリターンが出る。ほかの人のポートフォリオなども見ることができる。

つみたて&分散シミュレーション 投信アシスト

http://funds-robo.jp/services/Query?SRC=fund-assist/index
➡ ポートフォリオ分析 ➡ 一覧から入力

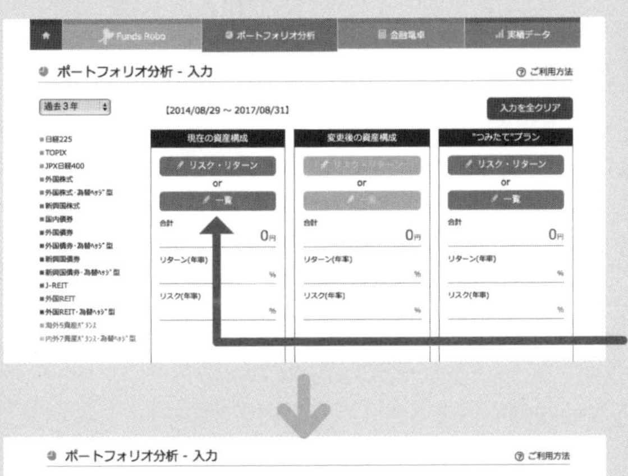

「以下の内容（サービス内容や免責事項）に同意のうえ、投信サービスを利用する」をクリックすると、利用できる。

一覧から各資産の比率を入力すると、リスクとリターンが出る。日本株式型ファンドはベンチマーク（P126）の種類から選ぶ。資産配分のパターンを比較検討したり、積み立てプランの作成もできる。

画像：野村アセットマネジメント株式会社

Q 投資信託の運用実績は何をチェックすればいい？

A トータルリターン、標準偏差、シャープレシオの３つをチェックしましょう

▶値動きのブレ幅は標準偏差でわかる

トータルリターンとは基準価額の値動きだけでなく、分配金や解約金なども考慮したうえでの収益はどうかを示す指標です。その投信が「最終的に利益を出しているかどうか」がわかります。

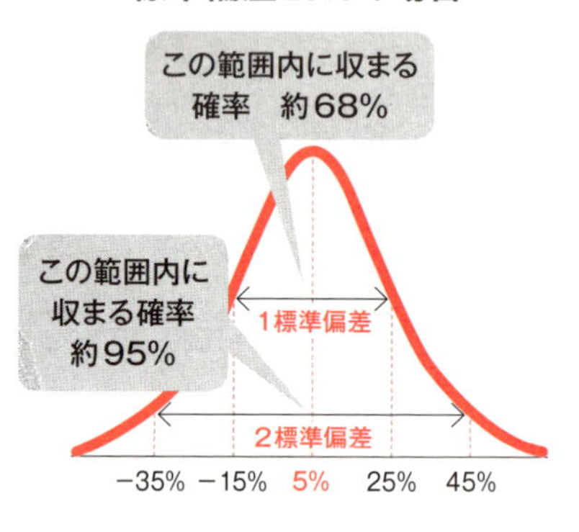

標準偏差は「値動きのブレ幅」を表すもの。「σ（シグマ）」と表示されることもあります。右図の商品の場合、１標準偏差が20％なので、リターンの５％を中心にすると、１年間で＋25％（５％＋20％）から－15％（５％－20％）の範囲内に収まる確率が約68％ということになります。最悪の場合、どこまで下がるかは、２標準偏差まで想定しておくとよいでしょう。すると、＋45％（５％＋20％×２）から－35％（５％－20％×２）の範囲内になります。最悪の場合でも、95％の確率でこの範囲内に収まるということですね。

▶シャープレシオが大きいほど運用の効率がよい

シャープレシオは「運用の効率」を示す指標です。リスクをとらなければリターンは得られませんが、できるだけ小さいリスクで、より大きなリターンがほしいもの。シャープレシオを見ると、それがわかります。数字が大きいほど、リスクの割にリターンが大きい、つまり運用効率がよいことを表します。比較するときは、外国株式なら外国株式同士など、同じカテゴリーのもので比べます。できるだけ長い期間のシャープレシオをチェックするようにしてください。

レッスン**5**

さあ iDeCo を始めよう

加入手続きと運用の仕方

iDeCoの加入方法と
運用中に自分でやるべき
手続きや確認事項などを
知っておきましょう。

加入手続き①

加入手続きの流れを知っておこう

自分で必要書類を取り寄せて加入手続きをします。
加入までの流れを知っておきましょう。

STEP1
必要書類の取り寄せ

金融機関のWebサイトか、コールセンターから取り寄せる。国民年金の被保険者区分によって書類がちがうので注意。

STEP2
書類の記入・提出

□個人型年金加入申出書
□預金口座振替依頼書
□本人確認書類

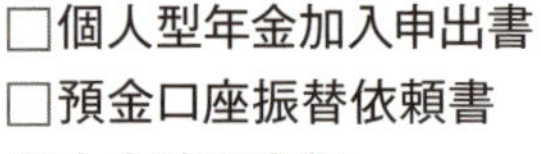

▼会社員・公務員の場合
□事業所登録申請書 兼
第2号加入者に係る
事業主の証明書

check! ▶P149

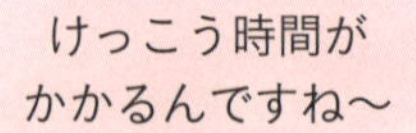

□確認書
□配分指定書　など

必要書類に記入して提出する。配分指定書は、運用商品を選択して配分を指定するもの。口座開設後に、Webサイトで配分指定を行う金融機関もある。

STEP3
書類の確認、加入資格の審査

到着した書類を金融機関が確認後に、国民年金基金連合会が加入資格の審査を行う。

手続き完了までには
1ヵ月～2ヵ月くらい
かかります

けっこう時間が
かかるんですね～

当月締切日までの申し込み

申込月	翌月	翌々月
申し込み →	掛金引き落とし →	商品の購入
締切日	26日	10日頃

金融機関のその月の締切日までに申し込みした場合は、翌月26日から掛金引き落しとなる。

当月締切日以降の申し込み

翌月	翌々月	3ヵ月後
申し込み →	掛金引き落とし →	商品の購入
締切日	26日	10日頃

金融機関の締切日以降に申し込みした場合は、翌々月に2ヵ月分の掛金が引き落とされる。

STEP4
書類の受け取り

・国民年金基金連合会から届く
□個人型年金加入確認通知書
□個人型年金規約・加入者の手引き

・記録関連運営管理機関から届く
□口座開設のお知らせ
□コールセンター・インターネットパスワード設定のお知らせ

配分指定書がなければWebサイトで配分を指定する

STEP5
掛金引き落とし&運用

iDeCoスタート!

掛金の引き落とし方法は、申込書類の到着日によって異なる。自分が選択した商品で運用が始まる。

掛金引き落し口座の残高も確認しないといけないですね

ネット系銀行からは掛金の振替ができない?

iDeCoの掛金は給与天引きか、本人名義の口座からの引き落としになります。引き落としできるのは、国民年金基金連合会と口座振替契約をしている金融機関です。

ネット系銀行の一部(セブン銀行など)をはじめ、一部の金融機関は現在のところ、振替口座に指定できないので注意してください。

加入手続き②

加入時に必要な書類と記入の仕方を知ろう

書類は国民年金の被保険者区分によってちがいます。第２号の人は勤め先に記入してもらう書類もあります。

ぼくは自営業だから、第１号の書類を取り寄せて、記入・提出すればいいんだね

はい。第２号の人は、勤め先に記入してもらう書類もあります。掛金を口座引き落としにするなら、「口座振替依頼書」も必要です

▶ 掛金の「配分指定」を行わなければデフォルト商品の運用になる

国民年金第１号と第３号被保険者の人は、「個人型年金加入申出書」と「預金口座振替依頼書」を提出します。会社員や公務員の第２号被保険者の人は、「事業所登録申請書兼第２号加入者に係る事業主の証明書」も必要。勤め先の担当者に記入してもらいます。頼みにくいかもしれませんが、法令で会社側の協力が義務づけられています。担当者にiDeCoの知識がなければ、国民年金基金の「事業主の手引き」を見せるなどして、お願いしてみましょう。

さらに「配分指定書」が必要な金融機関もあります。運用商品を選び、掛金の何％を積み立てるかを記入します。合計で100％になればOK。配分指定をしないと、デフォルト商品（右ページ下参照）での運用になってしまいます。配分指定書を提出しない場合は、口座開設後、忘れずにWebサイトで配分指定をしてください。書類に不備があると再提出となり、加入まで時間がかかります。事前に記入・押印もれがないかよく確認し、不明な点があればコールセンターで確認をしましょう。

事業主の手引き：国民年金基金連合会HPでPDFファイルを入手できる。
http://www.ideco-koushiki.jp/library/pdf/owner_guide.pdf

必要書類の記入の仕方（会社員の場合）

画像：iDeCo公式サイト

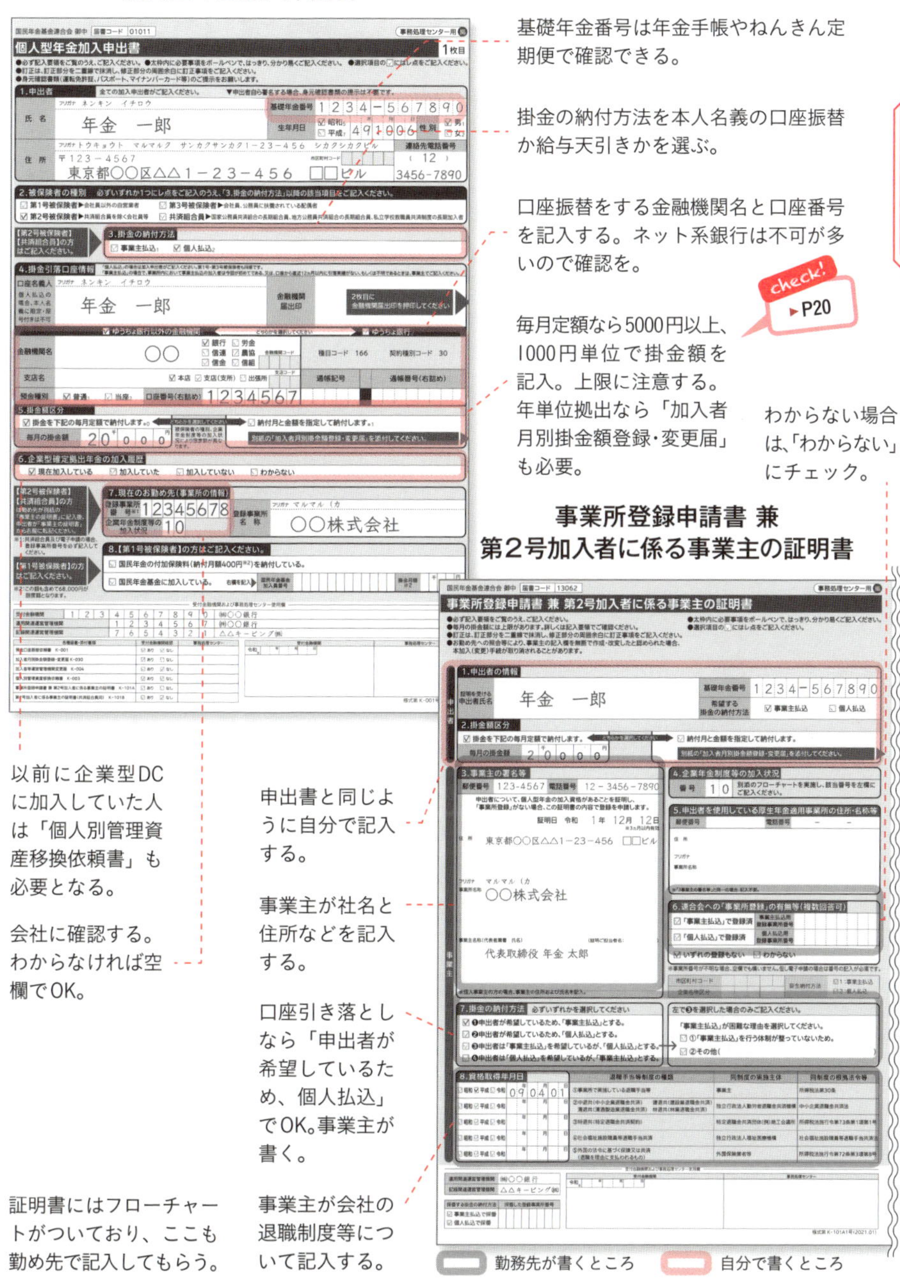

個人型年金加入申出書

国民年金基金連合会 御中　届書コード 01011　事務処理センター用

個人型年金加入申出書　1枚目

1.申出者
- 氏名：ネンキン　イチロウ　年金　一郎
- 基礎年金番号：1234-567890
- 生年月日：昭和・平成 49 10 06　性別
- 住所：トウキョウト　マルマルク　サンカクサンカク1-23-456　シカクシカクビル　〒123-4567　東京都〇〇区△△1-23-456　□□ビル
- 連絡先電話番号：（12）3456-7890

2.被保険者の種別
- ☐ 第1号被保険者
- ☐ 第3号被保険者
- ☑ 第2号被保険者
- ☐ 共済組合員

3.掛金の納付方法
- ☐ 事業主払込
- ☑ 個人払込

4.掛金引落口座情報
- 口座名義人：ネンキン　イチロウ　年金　一郎
- 金融機関名：〇〇　☑ 銀行
- 支店名：☑ 本店
- 預金種別：☑ 普通　口座番号（右詰め）1234567

5.掛金額区分
- ☑ 掛金を下記の毎月定額で納付します。
- 毎月の掛金額：20,000円
- ☐ 納付月と金額を指定して納付します。

6.企業型確定拠出年金の加入履歴
- ☑ 現在加入している　☐ 加入していた　☐ 加入していない　☐ わからない

7.現在のお勤め先（事業所の情報）
- 登録事業所番号：12345678
- 企業年金制度等の加入状況：10
- 登録事業所名称：マルマル（カ　〇〇株式会社

8.【第1号被保険者】の方はご記入ください。
- ☐ 国民年金の付加保険料（納付月額400円）を納付している。
- ☐ 国民年金基金に加入している。

事業所登録申請書 兼 第2号加入者に係る事業主の証明書

国民年金基金連合会 御中　届書コード 13062　事務処理センター用

事業所登録申請書 兼 第2号加入者に係る事業主の証明書

1.申出者の情報
- 証明を受ける申出者氏名：年金　一郎
- 基礎年金番号：1234-567890
- 希望する掛金の納付方法：☑ 事業主払込　☐ 個人払込

2.掛金額区分
- ☑ 掛金を下記の毎月定額で納付します。
- 毎月の掛金額：20,000円

3.事業主の署名等
- 郵便番号：123-4567　電話番号：12-3456-7890
- 証明日：令和 1年 12月 12日
- 所在地：東京都〇〇区△△1-23-456　□□ビル
- 事業所名称：マルマル（カ　〇〇株式会社
- 事業主氏名（代表者職名 氏名）：代表取締役 年金 太郎

4.企業年金制度等の加入状況
- 番号：10

5.申出者を使用している厚生年金適用事業所の住所・名称等

6.連合会への「事業所登録」の有無等（複数回答可）
- ☐「事業主払込」で登録済
- ☐「個人払込」で登録済
- ☐ いずれの登録もない　☐ わからない

7.掛金の納付方法
- ☑ ❶申出者が希望しているため、「事業主払込」とする。
- ☐ ❷申出者が希望しているため、「個人払込」とする。
- ☐ ❸申出者は「事業主払込」を希望しているが、「個人払込」とする。
- ☐ ❹申出者は「個人払込」を希望しているが、「事業主払込」とする。

8.資格取得年月日
- 平成 09 04 01

基礎年金番号は年金手帳やねんきん定期便で確認できる。

掛金の納付方法を本人名義の口座振替か給与天引きかを選ぶ。

口座振替をする金融機関名と口座番号を記入する。ネット系銀行は不可が多いので確認を。

check! ▶P20

毎月定額なら5000円以上、1000円単位で掛金額を記入。上限に注意する。年単位拠出なら「加入者月別掛金額登録・変更届」も必要。

わからない場合は、「わからない」にチェック。

以前に企業型DCに加入していた人は「個人別管理資産移換依頼書」も必要となる。

会社に確認する。わからなければ空欄でOK。

申出書と同じように自分で記入する。

事業主が社名と住所などを記入する。

口座引き落としなら「申出者が希望しているため、個人払込」でOK。事業主が書く。

証明書にはフローチャートがついており、ここも勤め先で記入してもらう。

事業主が会社の退職制度等について記入する。

勤務先が書くところ　自分で書くところ

デフォルト商品：加入者が配分指定をしない場合、自動的に運用される商品のこと。多くの金融機関で、元本確保型商品の定期預金がデフォルト商品として指定されている。

運用中にやること①

節税の手続きを忘れずに行い節税分は貯蓄に回す

iDeCoの節税メリットを受けるには手続きが必要です。
毎年忘れずに行いましょう。

iDeCoのメリットである“節税”のためには、どんな手続きが必要なんですか？

毎年10月以降※に「小規模企業共済掛金払込証明書」が届きます。年末調整か確定申告でiDeCoの掛金額を申告し、この証明書を提出してください

▶ 節税額をきちんと把握して貯蓄に回す

iDeCoの最大のメリットは、掛金が全額所得控除になること。それによって、所得税と住民税が安くなります。所得控除の適用を受けるためには、手続きが必要です。自営業などの国民年金第１号と、第３号被保険者の人は確定申告の際に掛金額を申告し、「小規模企業共済掛金払込証明書」を添付します。証明書は毎年10月以降※に国民年金基金連合会から届くので、保管しておきましょう。会社員や公務員などの第２号被保険者は、年末調整のときに掛金を申告し、払込証明書を提出してください。確定申告でもOKです。給与天引きの人は会社が手続きをしてくれるので、何もしなくて大丈夫。証明書も発行されません。

確定申告や年末調整の手続きをすると、所得税の節税分が還付金として戻ってきます。住民税は、翌年度分の住民税が、節税分だけ安くなります。節税できた分はしっかり貯蓄に回しましょう。“知らないうちに使っていた”なんてことのないよう、自分の節税額を把握しておくことが大切です（P24）。

※はじめての掛金の引き落としが10～12月の場合、証明書の送付は１月以降になる。

年末調整か確定申告で税金が戻ってくる

会社員・公務員の場合

年末調整
（確定申告でもよい）

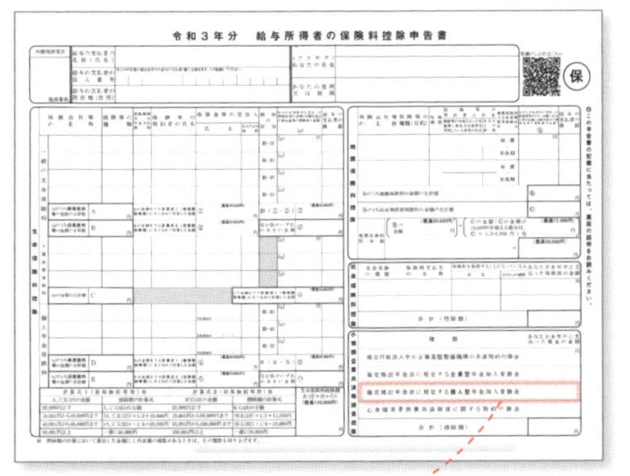

令和３年分　給与所得者の保険料控除申告書

確定拠出年金法に規定する個人型年金加入者掛金

「確定拠出年金法に規定する個人型年金加入者掛金」の欄にiDeCoの掛金額（証明書の合計金額）を記入する。

自営業者の場合

確定申告

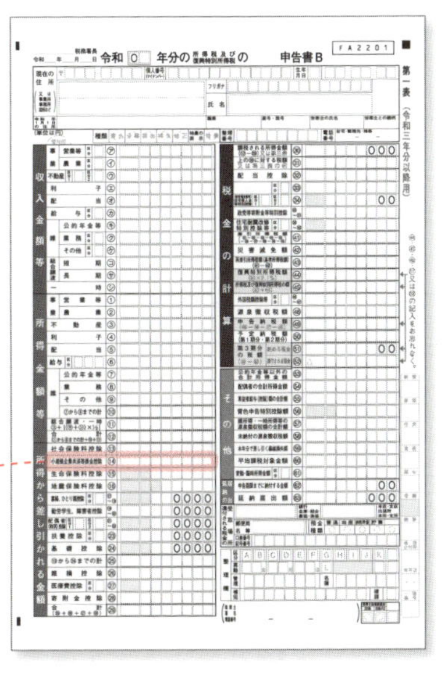

令和　年分の所得税及びの復興特別所得税の申告書B

FA2201

小規模企業共済等掛金控除

「小規模企業共済等掛金控除」の欄にiDeCoの掛金額（証明書の合計金額）を記入する。e-Taxも利用できる。

掛金を給与天引きにしている人は手続きは不要です。給与等からその都度、控除されています。

国民年金基金連合会から毎年10月以降※に届く

小規模企業共済掛金払込証明書を添付して提出する

- 所得税の節税分は還付される
- 翌年の住民税が、住民税の節税分だけ安くなる

e-Tax：「国税電子申告・納税システム」であるイータックスのこと。所得税、法人税、消費税、贈与税などの申告や納税といった手続きを、インターネットを通じて行うことができる。

運用中にやること②

少なくとも1年に1回は運用状況をチェックする

投資信託の運用はプロにお任せでOK。でも、
年に1回は運用の状況をチェックしましょう。

ぼくはバランス型ファンドにするつもりだから、ほうっておいても大丈夫だよね！

バランス型ファンドは、確かにリバランス(P156)は不要です。けれども、少なくとも1年に1回は運用状況を確認しておきましょう

わかりました！　ところで、運用状況ってどうやって確認すればいいんですか？

▶「取引状況のお知らせ」や「運用報告書」でチェックする

iDeCoは老後に向けて長い間、運用していくものです。頻繁に運用状況をチェックする必要はありませんが、少なくとも1年に1回は確認してください。1年に1～2回、記録関連運営管理機関（P96）から「取引状況のお知らせ」が書面で届きますから、必ず目を通すようにしましょう。特に重要なのが、運用商品の内訳です。資産配分が崩れていれば、リバランス（P156）が必要です。

また、投資信託は決算を迎えるごとに、「運用報告書」が交付されます。基準価額の推移や資産配分、今後の運用方針などをきちんと確認しておきます。

なお、iDeCoの運用状況を見るときには、銀行や証券会社の口座、NISAなど自分の資産全体をいっしょにチェックしましょう。家計バランスシートも作り直しておくと、資産の状況がよくわかるのでおすすめです。

記録関連運営管理機関：現在、「JIS ＆ T」「NRK」「SBIベネフィット・システムズ」「損保ジャパンDC証券」の4社がある。

運用状況は自分できちんとチェックする

「取引状況のお知らせ」を確認する

1年に1〜2回、記録関連運営管理機関から郵送で届く。iDeCo資産全体の状況を確認する。Webサイトからも確認できる。

□基準日

「お知らせ」の作成内容の基準となった日付。

□資産評価額

基準日の時点で年金資産全体を時価に換算した評価額。

□評価損益

基準日の時点で年金資産全体の運用結果が、プラスなのか、マイナスなのかを表している。

□運用商品の内訳

年金資産全体のなかでの、各運用商品の割合を表している。当初の資産配分が崩れていれば、リバランス（P156）が必要。

信託報酬の低い、優れた新商品は販売されていないかも、チェックしておこう。

運用報告書や月次レポートを確認する

商品ごとの運用状況は運用報告書で確認する。金融機関のWebサイトから電子交付されることが多い。最新状況は月次レポートで確認。

□純資産総額
□資産構成
□基準価額の推移

インデックス型の投資信託の基準価額の推移は、ベンチマーク（P126）と比較してみよう。

わからないことがあれば

コールセンターで確認してね

運用報告書：投資信託の運用内容や運用状況、今後の運用方針などを報告する文書。決算ごとの作成・投資家への交付が定められている。「交付運用報告書」と「運用報告書（全体版）」がある。

運用中にやること③

必要に応じて商品の配分や種類を変更する

iDeCoの商品の配分や種類はいつでも変更できます。
これを「運用指図」といいます。

運用指図には、「配分割合（運用割合）の変更」と「スイッチング」の２つがあります

商品の配分や種類を変えられるんですよね。
その２つの方法はどう指図するんですか？

Webサイトやコールセンターを通じて指示を出します

▶ スイッチングは時間もコストもかかる

「配分割合（運用割合）の変更」とは、これから積み立てる掛金の運用商品の割合を変更するものです。手数料はかかりません。

一方、「スイッチング」は、現在、保有している商品を入れ替えることです。iDeCo口座に現金をそのまま置いておくことはできないので、商品を売却して得た代金で別の商品を同時に購入します。スイッチングそのものに手数料はかかりませんが、解約時に信託財産留保額（P128）や解約控除額（P117）が差し引かれる商品もあるので、確認しておきましょう。また、金融機関によっては、スイッチングの回数制限があるケースもあります。

もう１つ、知っておきたいのは、スイッチングには時間がかかること。金融機関や商品で異なりますが、完了まで７～14営業日ほどかかります。手続き中にも基準価額は変動しますから、希望する金額で取引することはできません。

運用指図1 配分割合（運用割合）の変更

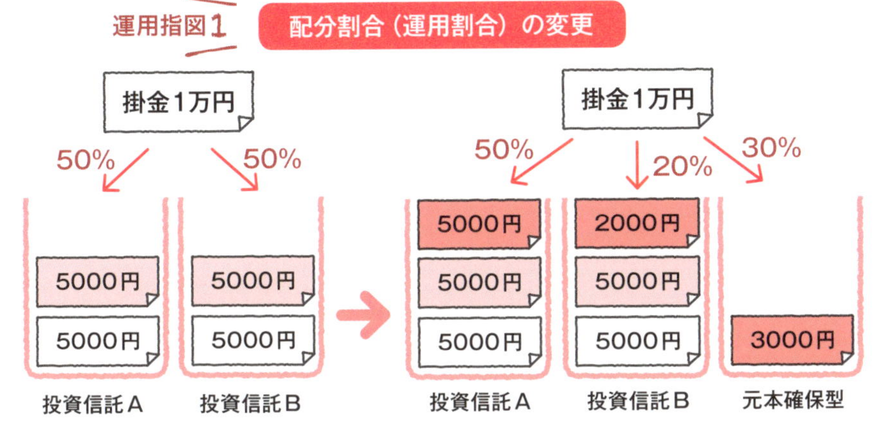

掛金1万円で、投資信託Aと投資信託Bに50%ずつ積み立てている。

投資信託Bを20%に、元本確保型に30%の割合に変更する。それまでに積み立てた資産は変わらない。

運用指図2 スイッチング

積み立てた資産のうち、投資信託Aを10万円分売却し、その代金で投資信託Cを10万円分購入する。毎月の掛金の配分は変わらない。

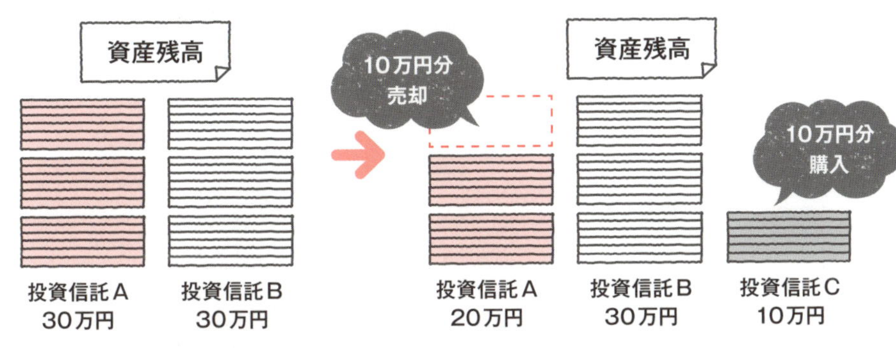

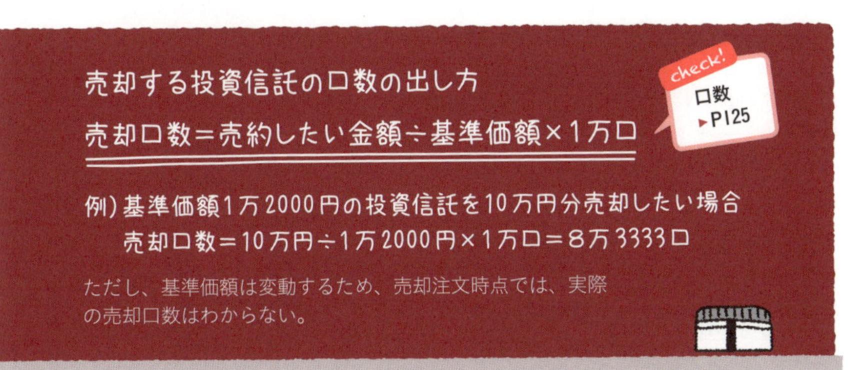

売却する投資信託の口数の出し方

売却口数＝売約したい金額÷基準価額×1万口

check! 口数 ▶P125

例）基準価額1万2000円の投資信託を10万円分売却したい場合
売却口数＝10万円÷1万2000円×1万口＝8万3333口

ただし、基準価額は変動するため、売却注文時点では、実際の売却口数はわからない。

運用中にやること④

資産配分が崩れたらリバランスをする

資産配分を修正する作業を「リバランス」といいます。
余分なリスクをとらないために必要な作業です。

資産配分を決めて運用していても、価格変動で配分が崩れてしまうことがあります。その場合は、配分割合の変更やスイッチングで元に戻します。この作業を「リバランス」といいます

リバランスには2つの方法がある

掛金1万円を外国債券、国内債券、国内株式、外国株式に、25%ずつの配分で積み立てる。

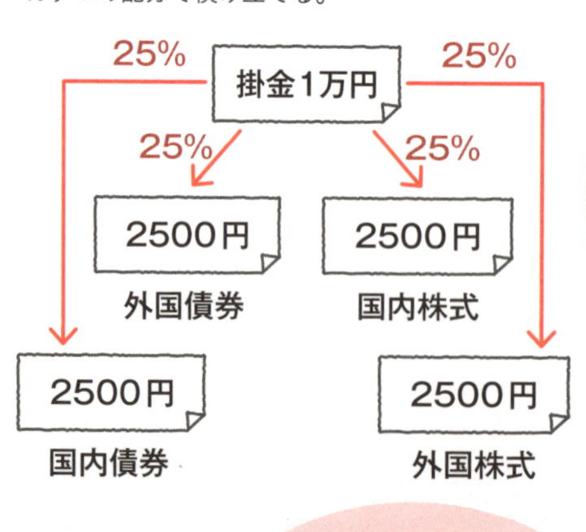

運用当初の資産配分

外国債券 25%	国内株式 25%
国内債券 25%	外国株式 25%

銀行や証券会社の口座、NISAなども含めた資産全体の配分を見る。

iDeCoだけでなく、
自分のもつ資産全体での
バランスを
見ることが大切です

▶資産配分が崩れると、抱えているリスクが大きくなることも

投資信託の基準価額は常に変動しているので、資産配分には“ズレ”が生じます。たとえば、下図のように外国株式が値上がりすると、資産残高は増えます。これはうれしいですよね。けれども同時に、許容範囲を超えるリスクを抱えたことにもなるのです。そこで必要なのが「リバランス」。配分割合の変更かスイッチングで、元の資産配分に戻してリスクを調整します。小さなズレは気にしなくて大丈夫。±10～15%のズレが生じたら、リバランスを行ってください。

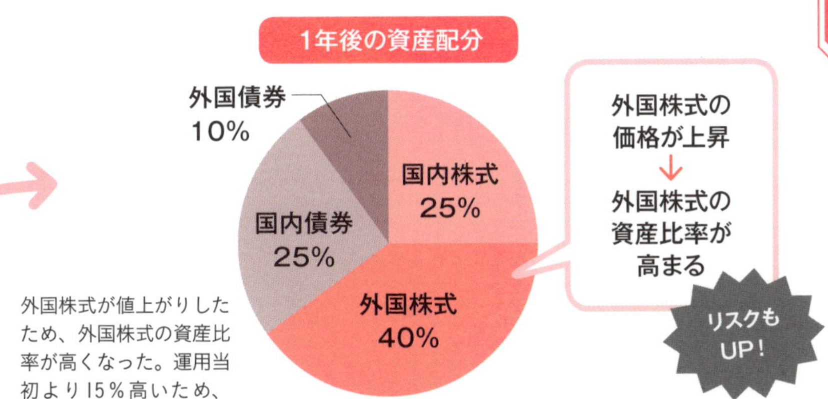

外国株式が値上がりしたため、外国株式の資産比率が高くなった。運用当初より15%高いため、リバランスが必要。

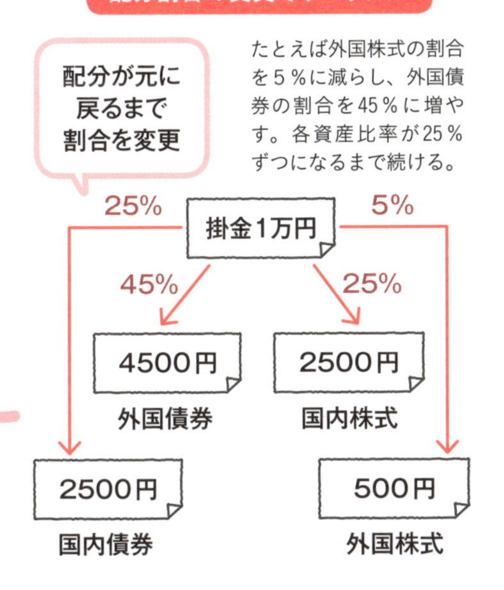

たとえば外国株式の割合を5%に減らし、外国債券の割合を45%に増やす。各資産比率が25%ずつになるまで続ける。

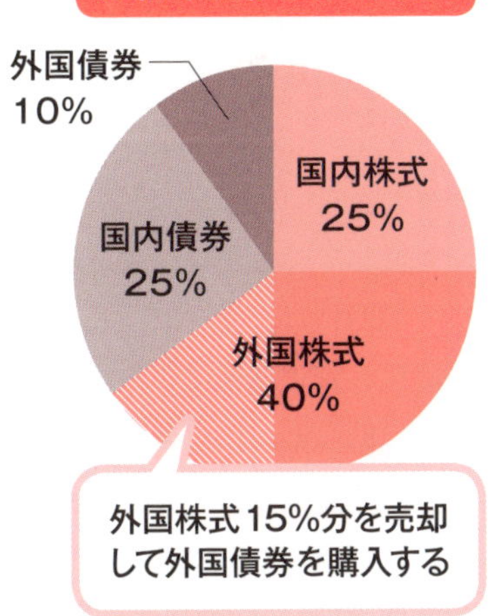

外国株式を15%分売却し、その代金で外国債券を購入すると、各資産の比率が25%ずつに戻る。

運用中にやること⑤

50代になったら受け取りを意識して運用する

50代になったら、運用プランの見直しが必要です。
徐々にリスクを減らして安定運用に切り替えていきます。

50代になったら運用プランを見直しましょう。
もし、株式型の投資信託の比率の高いプランで
受け取り直前に株価が暴落したら……

年金資産が減ってしまう！　それは困る！
ど、どうすればいいんですか？

▶ 資産全体のバランスを見ながら、数年かけて安定運用に変えていく

50代に入ると、教育費や住宅ローンの支出が落ち着く人が多いのではないでしょうか。そこで、もう一度ライフプランシート（P56）と家計バランスシート（P74）をつくってみましょう。定年までと定年以降の生活を具体的に考えたうえで、運用プランを見直してください。受け取り方の知識も必要です。

一般的には、受け取り直前の価格変動で、年金資産が減ってしまうのを防ぐために、安定運用に切り替えていくのがよいでしょう。リスクの高い株式型を徐々に減らし、債券型や元本確保型を増やしていきます。株式比率固定のバランス型で運用しているなら、株式比率の低いものに変更します。

ただ、iDeCo以外の安全資産（預貯金など）が増えていて、株式比率が資産全体の10～20％程度なら、大きな価格変動があっても影響は少ないと思います。

資産全体のバランスを見て決めることが大切です。

リアロケーション：リスク許容度や運用方針が変わったときなどに、いったん決めた資産配分を変更すること。

株式型を減らして、債券型や元本確保型を増やす

60歳になったらすぐに一時金で受け取る場合は、徐々に元本確保型へ入れ替えていく。年金で受け取る場合は、ある程度リスクをとった運用を続ける方法もある。

債券型 30%
株式型 70%

スイッチングで調整

債券型 30%
株式型 30%
元本確保型 40%

株式型を40%売却して、元本確保型を購入する

元本確保型に入れ替えた分は価格変動がほぼなくなる。利益が確定されたことになる。

配分割合の変更で調整

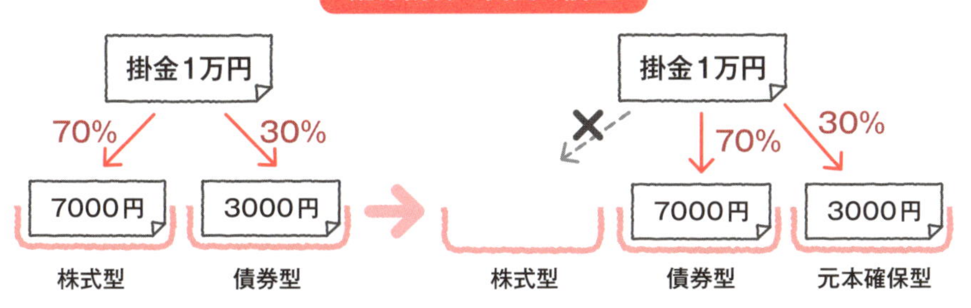

掛金の配分は株式型を0％にし、債券型と元本確保型だけにする。スイッチングより調整に時間がかかる。

安定運用に変える前に株価が暴落したら？

株価暴落でガクッと年金資産が減ってしまっても、手立てはあります。iDeCoは75歳まで運用指図者として運用を続けられます。10年ほどの期間があれば、ある程度、損失を取り戻せる可能性は十分あるでしょう。

ただ、退職金や公的年金も含めた受け取り方を考えておくことが大切。退職金をもらってからiDeCoの一時金を受け取る場合、退職所得控除の枠をいっしょに使うので税金が高くなることも（P168）。年金でもらう場合も、公的年金と合算したうえで、公的年金等控除が適用されます（P178）。

Q どうしても金融機関を変更したいときはどうすればいい？

A 変更先の金融機関に変更届を提出すればOK。ただし資産は現金化されます

▶変更先に「加入者等運営管理機関変更届」を出す

近年、iDeCoの加入者対象拡大に伴い、金融機関同士の競争が激しくなっています。これから「手数料が非常に安い」「低コストの魅力的な商品がそろっている」など、メリットの大きい金融機関が登場するかもしれません。そんなときは、別の金融機関に乗り換えることができます。これを「移換」といいます。

移換手続きは簡単です。変更先となる運営管理機関から「加入者等運営管理機関変更届」を取り寄せ、必要事項に記入して提出すればOK。金融機関ごとに、変更受付の締切日が決まっているので、それに合わせて手続きするとよいでしょう。「配分指定書（P148）」をいっしょに提出するところもあります。配分指定書がない場合は、変更先のデフォルト商品（P149）に資産が移されるので、移換後に自分でスイッチングや配分割合の変更を行ってください。現在の金融機関には何も連絡しなくてよいですが、移換時手数料（P98）はとられます。

▶投資信託などは、移換の手続き前にスイッチングを

移換の際は、それまでに運用していた商品はすべて売却され、現金化されます。売却のタイミングがいつになるかは、はっきりわかりません。タイミングによっては、投資信託を安く売って高く買うことになり、損をしてしまうこともあるでしょう。保険商品は、中途解約で元本割れの可能性もあります(P117)。

そのため、移換したいと思ったら、その前から少しずつ、定期預金などの安全資産にスイッチング（P154）しておくのがおすすめです。

移換手続きには1～2ヵ月ほど時間がかかります。運用の“空白期間”が生じるので、せっかくのリターンを得る機会を逃すこともあり得ます。移換によるメリットが大きい場合はよいのですが、安易な移換は控えてください。

レッスン6

どの方法がいちばんお得？

運用したお金の受け取り方

iDeCoのお金を受け取るときは、金額や受け取り方で支払う税額が変わるから要注意だよ！

Lesson6
“知らない” だけで損をする⁉

ではiDeCoで運用した
お金の受け取り方について
説明しますね

ポイントは2つ‼

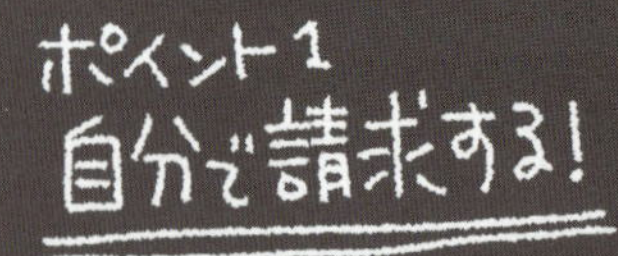

75歳を過ぎても請求しないと
自動的に現金化されて
一時金としてもらうことになります

それは
情報収集です！
変身した
じゃーん
iDeCo で運用した
お金を受け取るまでには
長い時間があります
遠い…
それまでに iDeCo の制度や
税金の制度が変わっている
可能性は十分あります
ルール変更
みたいな
こと
パス
何年後かには
サッカーで
手を使うのが
OKに
なってるとか！
制度の変更を
“知らなかった” だけで
損しないように
情報は集めて
いきましょうね
手使って
いいの!?
ルール
変わったん
だよ
現時点での
受け取り方のコツは
次ページから！
さあ！いくわよ～！
走りながら
学ぶ
ハイ！

受給手続き

受給手続きの流れを知っておこう

運用したお金をもらう手続きも自分で行います。
手続きの流れを知っておきましょう。

STEP1 受給権の確認

受給権があるかは、Webサイトやコールセンターで確認できる。通常は60歳で受給権が得られると、受け取り手続きに関する書類が送られてくる。

STEP2 受け取り方法の検討・決定

金融機関が提示した受け取り方法から選ぶ。老後の生活を考え、企業年金や公的年金ともあわせて受け取り方を検討する。

STEP3 裁定請求書の提出

- □裁定請求書
- □本人確認書類
- □「退職所得の源泉徴収票・特別徴収票」など

裁定請求書類に記入し、本人確認書類（印鑑証明書等）とともに金融機関に提出する。一時金受け取りの場合「退職所得の源泉徴収票・特別徴収票」のコピーも添付する。

書類の受付から
給付金の受け取りまでは
１ヵ月～１ヵ月半くらい
かかります

すぐにもらえる
わけじゃ
ないんですね～

裁定：裁定とは物事の是非を見極めて判断すること。ここでは、加入者の受給権を金融機関が確認し、受給するかどうかを決定することをいう。

▶自分で請求しないとお金はもらえない

iDeCoの給付金は、原則60歳になったら受け取ることができます。60歳以降75歳までの間に、自分で受け取りたいときに請求します。通算加入者等期間が10年未満の場合は、受け取り開始可能な年齢が引き上げられます(P32)。いつから受け取ることができるのか、確認しておきましょう。

給付金は自分で請求しないともらえません。請求せずに75歳になってしまうと、すべて一時金での受け取りになってしまいます。受け取り方法を自分で選べず、支払うべき税金が高くなることもあるので、注意してください。

STEP4
裁定(書類確認・支払いの決定)

STEP5
運用商品の売却

STEP6
給付金の受け取り

金融機関を通して、記録関連運営管理機関が書類を受け付ける。受給権があるか、記載内容は正しいか、必要書類がそろっているかなどを確認し、支払いの可否を決定する。

一時金受け取りの場合は、すべての運用商品が売却され現金化される。併給や年金受け取りの場合は、一部の運用商品が現金化される。売却日はWebサイトで確認できる。

売却が完了すると、給付金額が確定する。受取日に合わせて通知書類が郵送され、加入者が指定した口座に給付金が振り込まれる。年金受け取りなら、確定申告が必要。

こんなときは裁定に時間がかかる

□掛金、制度移換金等の入金手続きが完了していない

書類受付後に、左記のケースに当てはまる場合は、必要な手続きがすべて完了するまで裁定が保留となり、さらに時間がかかる。住所などの変更手続きは早めにしておこう。

□年金資産の移換手続きが完了していない

□住所・氏名・生年月日の変更手続きが完了していない

□加入者の資格喪失の手続きが完了していない

□提出書類に不備がある

など

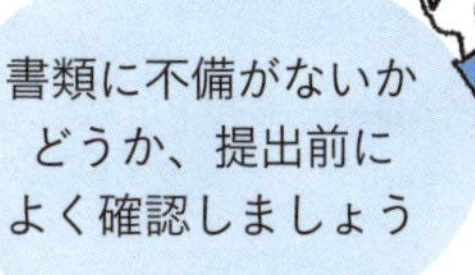

書類に不備がないかどうか、提出前によく確認しましょう

制度移換金:企業年金制度の改定によって、従来の企業確定給付年金や中小企業退職金共済などの資産から、確定拠出年金制度に移換した金額のこと。

一時金で受け取る①

退職所得控除の枠を超えると税金がかかる

運用したお金の受け取りには税金がかかります。
一時金で受け取るときの税金について説明しましょう。

iDeCoで運用したお金を一時金で受け取るときは「退職所得」という扱いになります

控除
▶P22

「退職所得」ということは、税金が安くなる「控除」があるんですよね

はい。税金を計算するときに、勤続年数（iDeCoは加入期間）に応じて、収入から一定の金額を差し引くことができます。これを「退職所得控除」といいます

▶ iDeCoで掛金を払っていた期間が長いほど、税金は安くなる

退職所得控除は勤続年数に応じて決まりますが、iDeCoの場合は加入期間で決まります。これは、掛金を払っていた期間で、運用指図者の期間は含まれません。加入期間が長いほど退職所得控除の枠は大きくなり、加入期間20年までは1年ごとに40万円ずつ、20年を超えると70万円ずつ増えます。1年未満の加入期間は切り上げられるので、1ヵ月でも早く加入しておくとちがいますね。

退職所得控除を差し引いた残りの金額の半分が「退職所得」として、課税されます。iDeCoに20年加入した人の場合、iDeCoの年金資産が800万円までなら、税金はかかりません。800万円を超えていると、超えた金額の半分に課税されることになります（退職金がiDeCoだけの場合）。

退職金：退職によって支払われる給与等。勤め先からの退職一時金、iDeCoや企業型DC、確定給付企業年金（DB）の一時金のほか、小規模企業共済や中小企業退職金共済の一時金などを退職金として扱う。

一時金で受け取るときの税金の計算方法

STEP1 退職所得控除を計算する

勤続年数※(加入年数)	退職所得控除額
20年以下	40万円×勤続年数(iDeCoは加入期間)
20年超	800万円+〔70万円×(勤続年数−20年)〕

※1年未満の端数は切り上げとなる。

iDeCoの加入期間には、企業型DCの加入期間も足して計算できる。

STEP2 退職所得を計算する

退職所得 =(退職による収入 − 退職所得控除)× 1/2＊

STEP3 税額を計算する

point 収入が退職所得控除内なら税金はかからない！

所得税及び復興特別所得税 =(退職所得 × 所得税率 − 控除額)× 102.1%

住民税 = 退職所得 ×10%

退職所得	所得税率	控除額
195万円以下	5%	0円
195万円超330万円以下	10%	9万7500円
330万円超695万円以下	20%	42万7500円
695万円超900万円以下	23%	63万6000円
900万円超1800万円以下	33%	153万6000円
1800万円超4000万円以下	40%	279万6000円
4000万円超	45%	479万6000円

退職所得を右の表に当てはめて、所得税率と控除額から、所得税及び復興特別所得税(令和19年まで2.1%)を算出する。住民税は退職所得に一律10%を掛けて算出する。

退職による収入がiDeCoだけの場合

例) iDeCoに30年間加入、運用したお金1800万円を一時金で受け取る

STEP1 800万円+〔70万円×(30年−20年)〕=1500万円 ← 退職所得控除

STEP2 (1800万円−1500万円)× 1/2 =150万円 ← 退職所得

STEP3 所得税及び復興特別所得税 〔(150万円×5%)−0〕×102.1%=7万6575円

住民税 150万円×10%=15万円 　税額 **22万6575円**

＊勤続年数が5年以下の会社役員等の退職金は、1/2課税が適用されない。

一時金で受け取る②

退職所得控除の枠には共有期間がある

一定期間内に複数の退職金をもらう場合は、
退職所得控除の枠をいっしょに使うことになります。

ぼく、小規模企業共済にも入ろうと思っているんですけど、iDeCoと共済金の両方を一時金でもらう場合、税金はどうなるんですか？

いいところに気づきましたね！　複数の退職金を一定期間内にもらう場合は、退職所得控除の枠をいっしょに使うことになります

iDeCoは退職所得控除の共有期間が長い

・iDeCoの一時金
・企業型DCの一時金

（51歳）

前年以前14年以内

退職金をもらう権利を取得した日（65歳）

ほかの退職金をもらう場合、退職所得控除の枠を共有する

・退職一時金
・企業型DB、小規模企業共済、中小企業退職金共済などの一時金

前年以前4年以内

（61歳）

iDeCoや企業型DCの一時金を受け取るとき、前年以前14年以内にほかの退職金をもらっていれば、退職所得控除の枠は共有する。それ以外の退職金は前年以前4年以内が共有期間となる。

勤め先の退職一時金などと、iDeCoの一時金を同じ年に受け取る場合を見てみましょう。退職所得控除は勤続年数（加入期間）が長いほうで計算します

iDeCoとiDeCo以外の退職金を同年に受け取る

例1）小規模企業共済に30年加入した共済一時金900万円と、iDeCoに25年加入した一時金1200万円を同時に受け取る

小規模企業共済加入　35歳―65歳　加入期間30年

iDeCo加入　40歳―65歳　加入期間25年

共済一時金900万円 ＋ iDeCoの一時金1200万円

check! 税金の計算方法 ▶P167

STEP1　800万円＋〔70万円×（30年－20年）〕＝1500万円　退職所得控除

point 勤続年数が長いほうを適用

STEP2　〔（900万円＋1200万円）－1500万円〕×$\frac{1}{2}$＝300万円　退職所得

共済一時金とiDeCoの一時金を合算する。

STEP3

所得税及び復興特別所得税　〔（300万円×10％）－9万7500円〕×102.1％＝20万6752円

住民税　300万円×10％＝30万円

税額　**50万6752円**

次に一定期間内でちがう年に受け取る場合です。最初に受け取る退職金にかかる税金は、通常通りに計算します　（次ページへ）

iDeCoとiDeCo以外の退職金をちがう年に受け取る場合

例2) 60歳で会社からの退職一時金1600万円を受け取り、65歳でiDeCoの一時金1200万円を受け取る

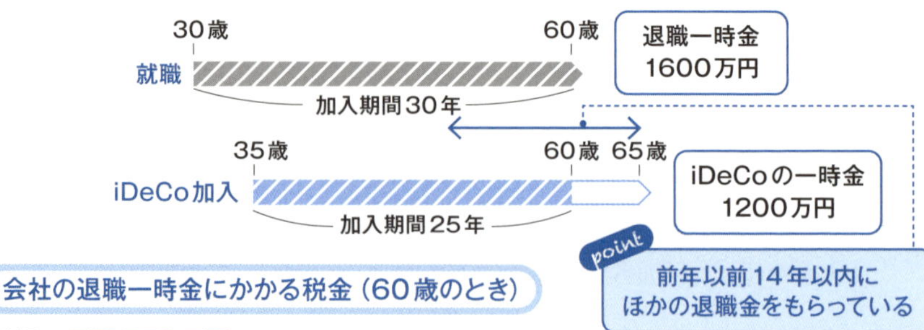

会社の退職一時金にかかる税金（60歳のとき）

税額　7万5525円

STEP1　800万円+70万円×（30年－20年）＝1500万円（退職所得控除）

STEP2　（1600万円－1500万円）×$\frac{1}{2}$＝50万円（退職所得）

STEP3　〔（50万円×5%）－0円〕×102.1%＝2万5525円（所得税及び復興特別所得税）、50万円×10%＝5万円（住民税）

後から受け取るiDeCoの一時金の退職所得控除は、重複期間の控除分を差し引いて計算します

iDeCoの一時金にかかる税金（65歳のとき）

STEP1

iDeCo加入期間の退職所得控除　point 重複期間分（25年）の退職所得控除を差し引く

［800万円+〔70万円×（25年－20年）〕］－［800万円+〔70万円×（25年－20年）〕］＝0　退職所得控除

STEP2　（1200万円－0円）×$\frac{1}{2}$＝600万円　退職所得

STEP3

所得税及び復興特別所得税　〔（600万円×20%）－42万7500円〕×102.1%＝78万8722円

住民税　600万円×10%＝60万円

税額　138万8722円

2つの一時金にかかる税金は146万4247円！　退職所得控除がないと、税金はすごく高いんですね

そうなんですよ。もう1つ、別のケースも見てみましょう。先に受け取る退職金が退職所得控除を下回った場合です

例3) 65歳で会社からの退職一時金1000万円を受け取り、70歳でiDeCoの一時金1200万円を受け取る

退職一時金 1000万円

iDeCoの一時金 1200万円

例2より退職一時金が少ないんだよ

point 前年以前14年以内にほかの退職金をもらっている

会社の退職一時金にかかる税金（65歳のとき）

税額 0円

STEP1 800万円＋70万円×（30年−20年）＝1500万円（退職所得控除）

STEP2 （1000万円−1500万円）×$\frac{1}{2}$＝0円（退職所得）

point 「収入1000万円<退職所得控除1500万円」となるため、非課税になる

iDeCoの一時金にかかる税金（70歳のとき）

point 先にもらった退職金が退職所得控除を下回った場合、その退職金の勤続年数は下の表から算出する

先にもらう退職金の額（A）	勤続年数の算式※
800万円以下	（A）÷40万円
800万円超	［〔（A）−800万円〕÷70万円］＋20年

〔（1000万円−800万円）÷70万円〕＋20年＝22年　算出した勤続年数

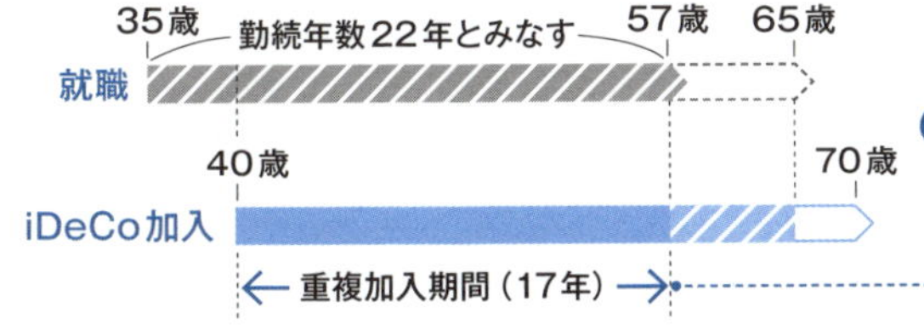

point 算出した勤続年数をもとに重複期間を算出する

check! ▶P167

STEP1 iDeCo加入期間の退職所得控除　重複期間分（17年）の退職所得控除

［800万円＋〔70万円×（25年−20年）〕］−（40万円×17年）＝470万円　退職所得控除

STEP2 （1200万円−470万円）×$\frac{1}{2}$＝365万円　退職所得

STEP3 所得税及び復興特別所得税　〔（365万円×20%）−42万7500円〕×102.1%＝30万8852円

住民税　365万円×10%＝36万5000円

税額 67万3852円

※小数点以下の端数は切り捨てる。

一時金で受け取る③

複数の退職金があれば受け取り順を考えよう

受け取りの順番を変えるだけで、税金額は変わります。
一時金ならiDeCoを先にしたほうが安くなります。

いろんな計算方法があって混乱してきちゃいました

iDeCoの加入期間や勤続年数、退職金の数、受け取るタイミングなどで変わりますからね〜

結局、どうすればいちばん税金が少なくなるんですか？

複数の退職金を一時金で受け取るなら、退職所得控除の枠の共有期間が長いiDeCoの一時金を先にもらうほうが、控除をフル活用できると思いますよ

▶ 受け取り順で税金が高くなったり、安くなったりする

複数の一時金を受け取るときは、iDeCoの退職所得控除の枠の共有期間が「前年以前14年以内」と長いことに注意。iDeCoの一時金を後から受け取ると、退職所得控除の枠を共有しなければならないケースがほとんどだと思います。できるなら、定年を延ばすなどして、iDeCoの一時金を先に受け取ったほうが、退職所得控除の枠を共有しなくてすむので、税金は安くなります。それが難しい場合は、iDeCoの資産を、年金か併給で受け取ることを検討してみましょう。

P170の例2をもう一度見てみましょう

2つの一時金にかかる税金

合計 **146万4247円**

60歳で会社からの退職一時金1600万円を受け取り、
65歳でiDeCoの一時金1200万円を受け取る

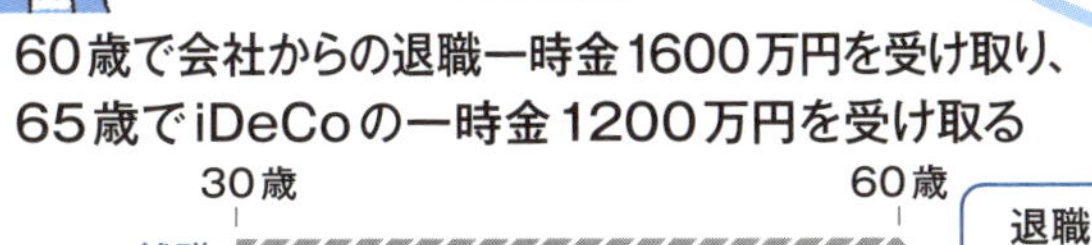

受け取り順を逆にすると……

例）**60歳でiDeCoの一時金1200万円を受け取り、**
65歳で会社からの退職一時金1600万円を受け取る

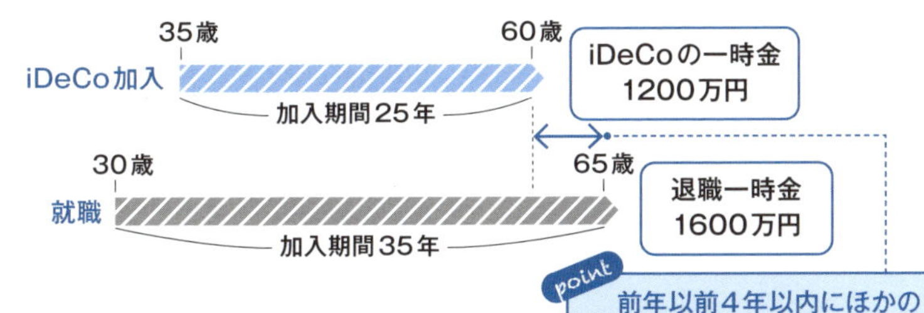

point 前年以前4年以内にほかの退職金をもらっていない（P168）

iDeCoの一時金にかかる税金（60歳のとき）

STEP1 800万円＋〔70万円×（25年－20年）〕＝1150万円 退職所得控除

STEP2 （1200万円－1150万円）× $\frac{1}{2}$ ＝25万円 退職所得

STEP3 所得税及び復興特別所得税 〔（25万円×5%）－0円〕×102.1%＝1万2762円

住民税 25万円×10%＝2万5000円

税額 **3万7762円**

退職一時金にかかる税金（65歳のとき）

STEP1 800万円＋〔70万円×（35年－20年）〕＝1850万円 退職所得控除

STEP2 （1600万円－1850万円）× $\frac{1}{2}$ ＝0円 退職所得

税額 **0円**

順番をかえただけで

税金の合計が140万円以上も少ないよ!!

2つの一時金にかかる税金

合計 **3万7762円**

年金で受け取る①

運用しながら数年かけて年金を受け取る

年金は運用しながら受け取るので、運用次第で
年金額が増減します。コストにも注意してください。

年金で受け取る場合は、運用しながら数年かけて資産を取り崩していきます。運用状況によって年金額が増えることもあれば、減ることもあります

運用しながらってことは、口座管理手数料もずっとかかるっていうこと？

▶ 口座管理手数料や給付事務手数料がかかる

年金は、受け取り期間と年間の受け取り回数を選んで、運用しながら資産を取り崩していく方法で、「分割取崩年金（ぶんかつとりくずし）」とも呼ばれます。選択できる受け取り期間や回数は、金融機関によって異なります（P102）。

一時金との大きなちがいは、コストです。一時金は給付事務手数料１回分だけですみますが、年金は資産を全部受け取るまで、口座管理手数料や信託報酬がかかります。受け取りごとに給付事務手数料もかかるので注意してください。

もう１つのちがいは、運用次第で年金資産が増減することです。途中で年金資産が足りなくなり、予定していた受け取り期間や支給額を給付できなくなることがあります。もちろん逆に、年金額が増えることもありますよ。

一般に、年金の取り崩し方は、資産を均等に受け取る「均等払い」と、年度ごとに割合を指定する「割合指定」の２つがあります。年金受け取りを開始して５年を過ぎたら、残りを全額一時金で受け取ることもできます。

資産の取り崩し方には2つの方法がある

均等払い

受け取り期間にわたり、年金資産を均等に分けて受け取る方法。運用次第で年金支払い額は増減する。

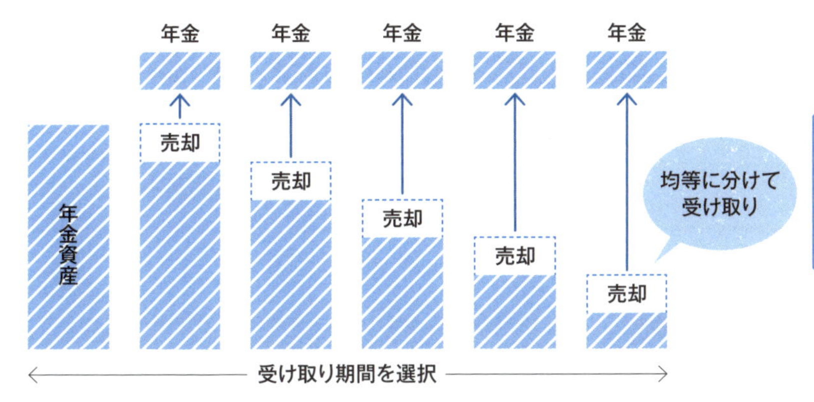

例) 年金資産1000万円、受け取り期間5年、年間受け取り回数2回の場合

1000万円÷5年÷2回＝100万円　1回の年金額

年金支払額は「裁定請求時の年金資産額÷受け取り予定期間÷年間受け取り回数」で算出する。

割合指定

年度ごとに割合を指定して受け取る方法。運用次第で年金支払い額は増減する。

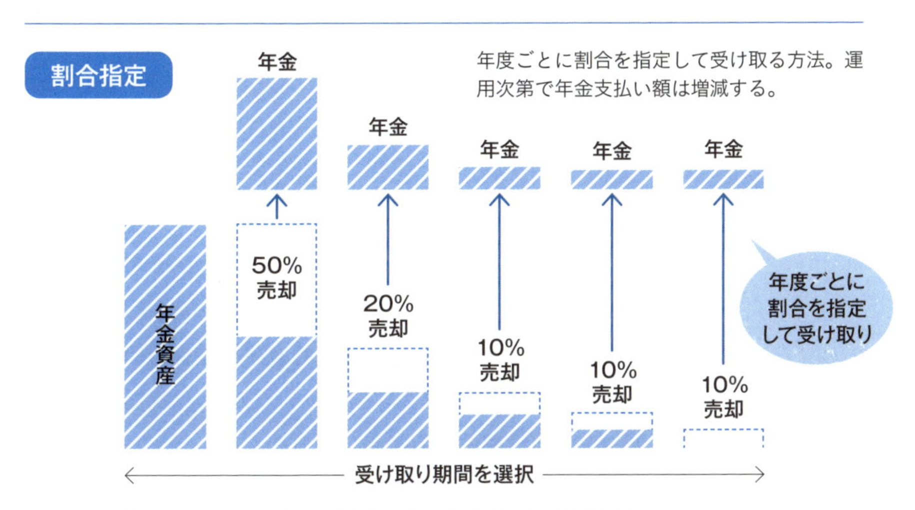

例) 年金資産1000万円、受け取り期間5年、年間受け取り回数2回、1年目50%、2年目20%、3～5年目10%で指定した場合

1年目		2年目		3年目		4年目		5年目	
50%		20%		10%		10%		10%	
1回目 250万円	2回目 250万円	1回目 100万円	2回目 100万円	1回目 50万円	2回目 50万円	1回目 50万円	2回目 50万円	1回目 50万円	2回目 50万円

年金支払額は「裁定請求時の年金資産額×指定割合÷年間受け取り回数」で算出する。

年金で受け取る②

保険商品なら、確定年金や終身年金で受け取ることもできる

保険商品には「確定年金」と「終身年金」があります。
ふつうの年金とどこがちがうのでしょうか。

保険商品のなかには、生きている限りずっと年金を受け取れる「終身年金」を選べることもあります

へえ～。では、「確定年金」はどんな受け取り方なんですか？

受け取りの期間と回数を選んで、決まった額の年金を受け取るものです。運用しながら取り崩すのとはちがい、年金額が増えることもなければ、減ることもありません

▶ 確定年金や終身年金で受け取りを始めたら、商品の変更はできない

保険商品のなかには、「一時金」や「分割取崩年金」以外に、「保証期間付終身年金」や「確定年金」という受け取り方が選べるものもあります。

終身年金は一生年金を受け取れるもの。保証期間内に受給者が死亡した場合は、遺族が死亡一時金を受け取ることができます。確定年金は、年金を受け取る期間と金額が“決まっている”もので、年金額が増減することはありません。

どちらも受け取りごとに給付事務手数料はかかりますが、口座管理手数料はかかりません。また、保証期間付終身年金や確定年金で受け取りを始めたあとは、スイッチング（P154）ができないので注意してください。

保険商品によって受け取り方はさまざま

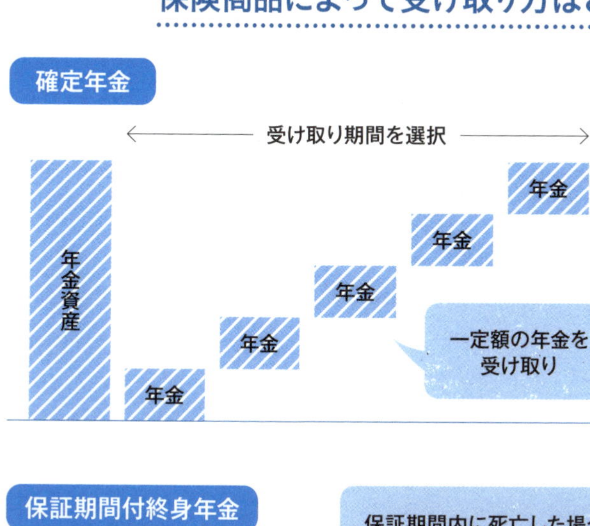

裁定請求時の年金資産と受け取り期間（5年、10年、15年、20年など）に応じて、年金額が確定する。受け取り期間中に受給者が死亡した場合は、残りの金額を遺族が受け取る。

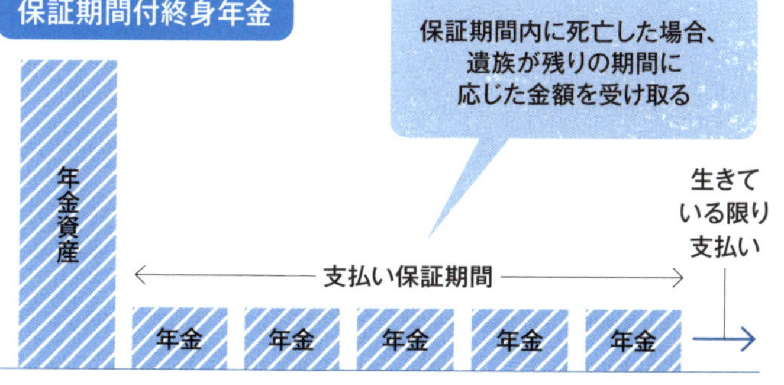

長生きするほど総受給額は増えるが、早くに亡くなると、積み立てた年金資産より、総受給額が少なくなることもある。

一時金

終身年金で受け取りたいならあらかじめ終身年金タイプの保険商品にスイッチングしておかないといけないんですね
その通りです！

年金で受け取る③

公的年金等控除の枠内ならば税金はかからない

年金で受け取るときにも税金がかかりますが、
「公的年金等控除」という優遇措置があります。

年金で受け取る場合は、公的年金や企業年金と同じ「雑所得」という扱いになります

年金として受け取る場合も、一時金で受け取るとき（P166）のように「控除」があるんですか？

はい。その年の公的年金や企業年金と合算して「公的年金等控除」が適用されます

▶ 65歳以上なら年間の公的年金などの収入110万円まで非課税

公的年金等控除は、年金として受け取ったすべての収入を合算して適用されます。公的年金等控除額を上回った金額は「雑所得」として、総合課税されます。

65歳以上の場合、右のように公的年金等の収入が年間110万円までなら、税金はかかりません。けれど、会社員や公務員だった人が65歳から国民年金と厚生年金を受給すると、年額約186万円※なので課税されることに。さらにiDeCoを年金で受け取ると、税金が増えるだけでなく、国民健康保険料などがアップすることもあり得ます。自営業などで国民年金だけなら公的年金等控除額を上回ることはありませんが、働いていて収入があったり、iDeCoや国民年金基金、小規模企業共済など、ほかの年金収入がある場合は同様の可能性があります。

これを避けるには、「iDeCoの年金と公的年金等の受け取り時期をずらす」「iDeCoを併給にして、年間の年金収入を減らす」という方法が考えられます。

※モデル世帯における現時点の年金額（夫の老齢厚生年金9万円＋夫婦の老齢基礎年金13万円＝22万円）より、夫一人の公的年金の年額（9万円＋6.5万円＝15.5万円×12カ月＝186万円）を計算。

年齢によって公的年金控除額はちがう

iDeCoや公的年金等の総収入 － 公的年金等控除額 ＝ 雑所得

公的年金やiDeCo、企業型DC、確定給付企業年金、厚生年金基金、小規模企業共済など、１年間に年金形式で受け取ったものをすべて合算した金額。

給与所得や事業所得などと合算して総合課税される

＊公的年金等の収入以外の合計所得金額が1000万円以下の場合

	公的年金等の収入金額	公的年金等控除額
65歳未満	130万円未満	60万円
	130万円以上410万円未満	(年金収入×25%)＋27万5000円
	410万円以上770万円未満	(年金収入×15%)＋68万5000円
	770万円以上1000万円未満	(年金収入×5%)＋145万5000円
	1000万円以上	195万5000円
65歳以上	330万円未満	110万円
	330万円以上410万円未満	(年金収入×25%)＋27万5000円
	410万円以上770万円未満	(年金収入×15%)＋68万5000円
	770万円以上1000万円未満	(年金収入×5%)＋145万5000円
	1000万円以上	195万5000円

例） 60歳でiDeCoの年金資産800万円を均等払い、受け取り期間５年、年間受け取り回数２回の場合（年間の総収入は160万円）

（160万円×25%）＋27万5000円＝67万5000円　公的年金控除額

160万円－67万5000円＝92万5000円　雑所得として総合課税される

keyword

総合課税

いくつかの所得をまとめて課税することを「総合課税」といいます。

所得税法では、「利子所得、配当所得、不動産所得、事業所得、給与所得、譲渡所得、一時所得、雑所得」の８種類が総合課税の対象となっています。これらの総所得から、基礎控除や配偶者控除などの所得控除（P22）を差し引いてから、所得税率を掛けて税額を算出します。

公的年金の受け取り

繰り下げ受給にすると年金額が増える

公的年金の受け取り方も考えてみましょう
受給開始を遅らせる"繰り下げ受給"がおトクです。

今は、公的年金は65歳からもらうことができるんですよね

はい。でも受け取りの時期は、自分で早くしたり、遅らせたりすることができます。遅らせると、1ヵ月ごとに年金額が0.7%増額されます

ということは、1年間で8.4%の増額！
それはおトクですね

▶ 70歳まで繰り下げると、年金額は142%にアップ

公的年金は通常65歳から支給されますが、実は受給開始年齢は自分で選ぶことができます。受給開始年齢を早くすることを「繰り上げ受給」、遅らせることを「繰り下げ受給」といいます。繰り下げて受給すると、1ヵ月ごとに年金額が0.7%アップ。70歳まで繰り下げた場合の年金額は、通常受給を100%とした場合142%となり、たいへんおトクな制度といえます。

70歳から受給した場合、81歳まで生きると、総受給額が通常受給を上回ります。65歳時点での平均余命から考えると、男性は85.05歳、女性は89.91歳という長生きの時代。公的年金は一生もらえますから、そのメリットは大きいと思います。ただ、年金収入が増える分、税金や健康保険料などの負担が重くなるというデメリットもあります。

繰り下げ受給のしくみ

65歳　66歳以降75歳まで繰り下げできる

特別支給の老齢厚生年金	繰り下げ待機期間	老齢基礎年金＋増額分
		老齢厚生年金＋増額分
		加給年金（P43）

- 特別支給の老齢厚生年金：繰り下げできない
- 繰り下げ待機期間：途中で繰り下げをやめることもできる
- 老齢基礎年金＋増額分／老齢厚生年金＋増額分：両方または片方のみの繰り下げもできる
- 加給年金：増額なし

65歳から1年間は繰り下げできない。その後は75歳までの間、1ヵ月単位で受給開始時期を選ぶことができる。

繰り下げで総額が増えるのはいつ？

受給開始年齢	年間受給額の増額率	総受給額が65歳受給開始の総額を上回る年齢
65歳	通常受給を100%とする	―
66歳	108.4%	77歳以上
67歳	116.8%	78歳以上
68歳	125.2%	79歳以上
69歳	133.6%	80歳以上
70歳	142.0%	81歳以上
71歳	150.4%	82歳以上
72歳	158.8%	83歳以上
73歳	167.2%	84歳以上
74歳	175.6%	85歳以上
75歳	184.0%	86歳以上

受給開始年齢ごとの「年間受給額の増額率」と「総受給額が65歳受給開始の総額を上回る年齢」を示した。70歳から受給開始した場合、81歳まで生きると総受給額が上回る。

特別支給の老齢厚生年金：厚生年金の支給開始年齢を段階的に引き上げるために設けられた。生年月日が、男性は昭和36年4月1日以前、女性は昭和41年4月1日以前などの要件を満たした場合に受給可能。

Case Study
iDeCoの受け取り方

いちばんお得な受け取り方は？

公的年金や企業年金も含めた受け取り方を
ケースを参考にじっくり考えてみましょう。

先生、iDeCoの受け取り方は、公的年金やほかの退職金もどうするか、いっしょに考えなくちゃいけないんですね。難しいなぁ……

そうですね。まず、公的年金や企業の退職金などが“いつから、どのくらい、どのように”もらえるかを把握することが大切です。そのうえで、受け取り方を考えるときのポイントは次の3つがあると思います

Point

1、公的年金は繰り下げ受給をすると増額される
2、勤続期間が長いなら、退職所得控除の枠を利用する
3、公的年金（厚生年金＋国民年金）は、iDeCoなどほかの年金とずらして受け取るほうが税金は安くなる

iDeCoや税金の制度は改正の可能性も高いです。情報には気を配っておきましょう

＊情報はiDeCo公式サイト（https://www.ideco-koushiki.jp/）などを参照（P191）。

CASE 1

65歳まで働いて、退職一時金とiDeCoの一時金を同年に受け取り、65歳からもらえる公的年金約186万円を70歳からの繰り下げ受給とする。会社の勤続年数から退職所得控除を計算すると、2つの一時金は非課税となる。ただし、公的年金は公的年金等控除額を上回るため、課税されることもある。

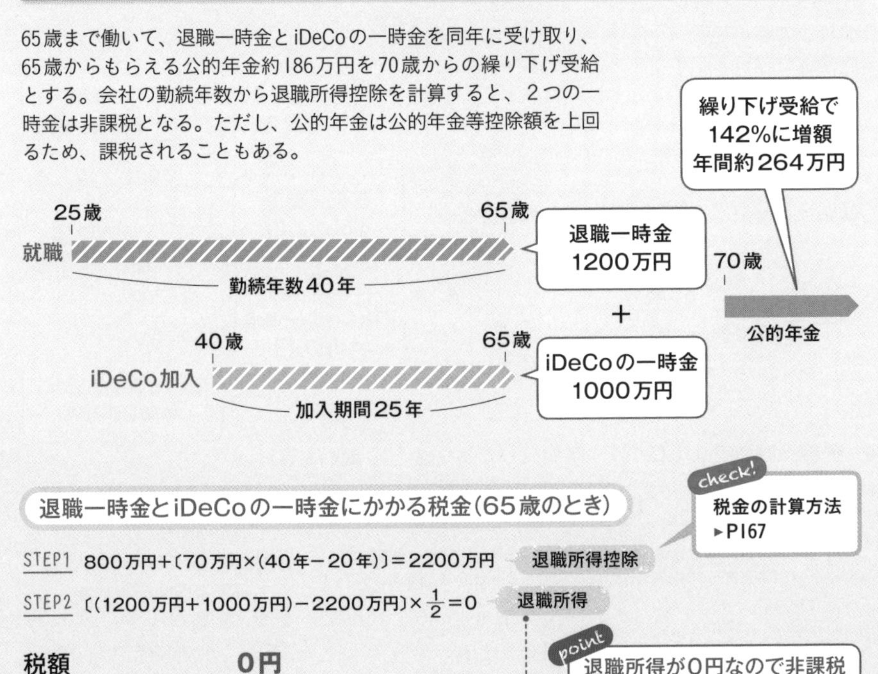

まず、65歳まで働くというケースです。退職所得控除の大きな枠を生かして、退職一時金とiDeCoの一時金を同年に受け取ります。公的年金は70歳からの繰り下げ受給としました

もっと早くまとまったお金が必要な場合は、iDeCoの一時金を60歳で受け取っても大丈夫ですか？

はい。このケースなら、会社の退職一時金受け取りまで5年間あるので、退職所得控除の枠が別々に使えます。iDeCoの一時金が800万円までなら、非課税で受け取ることができますよ

CASE 2

60歳で退職一時金とiDeCoの一時金（資産の一部）を同年に受け取る。また企業確定給付年金（DB）とiDeCoの残りの資産を年金として65歳まで受け取り、65歳からは公的年金を受給する。

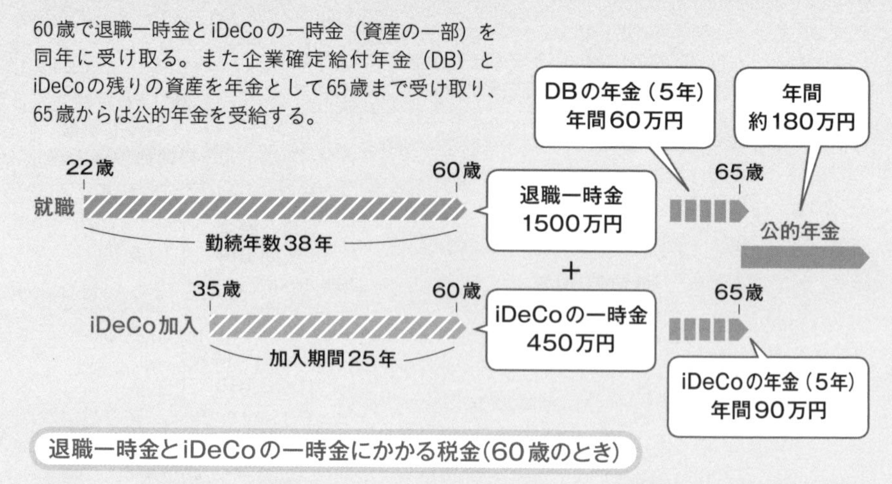

退職一時金とiDeCoの一時金にかかる税金(60歳のとき)

税額　0円

STEP1　800万円+〔70万円×(38年－20年)〕＝2060万円（退職所得控除）

STEP2　〔(1500万円＋450万円)－2060万円〕× $\frac{1}{2}$ ＝0円（退職所得）

61～64歳までの年金収入は公的年金等控除額を上回るが、各種控除を差し引くと、非課税となる（年金収入のみの場合）。ただ、65歳からは年金収入が増えるため、課税されることも。

年金にかかる税金（61歳～64歳のとき）

STEP1　〔(60万円＋90万円)×25%〕＋27万5000円＝65万円　公的年金控除額

STEP2　(60万円＋90万円)－65万円＝85万円　雑所得

・その他の収入がないとすると……

85万円－基礎控除48万円－配偶者控除38万円－　社会保険料控除　→ 0円　課税所得

税額　0円

point　課税所得が0円なので、非課税

次のケースは、iDeCoの一部を一時金で、残りを年金で受け取っているんですね

はい。これを「併給」といいます。退職所得控除の枠内で退職一時金とiDeCoの一時金を受け取り、iDeCoの残りの資産を年金で受け取っています。再就職などで年金収入以外に給与所得などがあれば、雑所得と合算して課税されます

基礎控除・配偶者控除：所得控除（P22）の種類。基礎控除48万円（所得金額2400万円以下）。配偶者控除38万円は、所得金額900万円以下で配偶者が要件（所得金額48万円以下など）を満たせば適用。

CASE 3

自営業など国民年金第１号被保険者のケース。小規模企業共済の一時金を70歳で受け取り、iDeCoは70歳から10年間の年金で受け取る。公的年金は70歳からの繰り下げ受給とする。

小規模企業共済の一時金にかかる税金（70歳のとき）

税額　0円

STEP1　800万円＋〔70万円×（40年－20年）〕＝2200万円（退職所得控除）
STEP2　（1500万円－2200万円）× $\frac{1}{2}$ ＝0円（退職所得）

公的年金とiDeCoの年金にかかる税金（70歳のとき〜）

point 課税所得0円なので非課税

STEP1　（110万円＋80万円）－公的年金等控除額110万円＝80万円　雑所得

・その他の収入がないとすると……
80万円－基礎控除48万円－配偶者控除38万円－　社会保険料控除　→ 0円　課税所得

税額　0円

最後は、70歳まで元気に働いてiDeCoも続けるケースかぁ

はい。非課税で運用を続けられますが、口座管理手数料などのコストがかかるので、それを上回る利益を目指しましょう。70歳以前に収入の減少などでお金が必要になったときは、iDeCoの年金の受給開始を早めるとよいでしょう

よ〜し！　お店もiDeCoもコツコツ続けてがんばるぞ〜！！

社会保険料控除：自分、または生計を一にする家族の社会保険料を支払った場合、全額を所得控除できる。国民年金保険料、厚生年金保険料、国民健康保険保険料（税）、後期高齢者医療保険料などが対象。

Q 自分に万一のことがあったら iDeCoのお金はどうなるの？

A 加入者が亡くなったときや障害者になったときは、60歳を待たずにお金を引き出せます

▶遺族が５年以内に請求すれば、死亡一時金として受け取れる

iDeCoには通常の「老齢給付金」のほかに、「死亡一時金」と「障害給付金」があります。死亡一時金や障害給付金は、60歳を待たなくても請求できます。死亡一時金は、加入者（または加入者だった人）が亡くなった場合に、残された年金資産が遺族に支払われるものです。死亡一時金を受け取るためには、遺族が裁定請求をしなければなりません。死亡一時金の請求期限は死亡日から５年以内です。まずはコールセンターに連絡して、手続き方法や請求書類について教えてもらうとよいでしょう。

死亡一時金を受け取ることのできる遺族は、順に「配偶者」「生計を維持されていた子、父母、孫、祖父母、兄弟姉妹」「その他の親族」と決められています。ただ、亡くなった人が遺言などで受取人を指定していた場合は、この順位に関係なく、指定された人が受け取ります。

死亡後３年以内に裁定請求をすると、死亡一時金は「みなし相続財産」という扱いになります。死亡退職金なども含め、法定相続人１人あたり500万円まで非課税です。たとえば、配偶者と子２人の法定相続人がいた場合、法定相続人３人×500万円なので、1500万円までは、みなし相続財産を非課税で受け取れます。死亡日から３年経過後５年以内に死亡一時金を受け取る場合は「一時所得」となり、給与所得などといっしょに総合課税されます（P179）。

年金資産は“みなし相続財産”となる

法定相続人の数 ×500万円＝ 非課税限度額

iDeCoの死亡一時金は、死亡退職金などと同様、みなし相続財産として扱われる。みなし相続財産はすべて合算のうえ、法定相続人１人あたり500万円以内なら非課税で受け取ることができる。

みなし相続財産：亡くなった人のもともとの財産ではないが、亡くなったことにより、相続人が相続すべき財産となるもののこと。代表的なものに死亡保険金や死亡退職金がある。

▶ 条件に当てはまれば障害給付金を請求できる

加入者が病気やけがなどで障害者になった場合は、それまで運用してきたお金を「障害給付金」として引き出すことができます。右の条件に当てはまる場合、75歳の誕生日の2日前までなら、いつでも請求することができます。

障害給付金は原則、5年以上20年以内の年金として支給されますが、金融機関によっては、一時金や併給での受け取りも可能です。

障害給付金の条件

1. 障害基礎年金の受給者
2. 身体障害者（1級〜3級までの者に限る）の交付を受けた方
3. 療育手帳（重度の者に限る）の交付を受けた方
4. 精神障害者保健福祉手帳（1〜2級の者に限る）の交付を受けた方

通常の老齢給付金とちがうのは、非課税であること。受け取り方がどうであれ、税金はかかりません。

ただし、年金で受け取るときは、受け取りごとに給付事務手数料がかかるので、気をつけてください。

いずれにしても、本人に万が一のことがあれば、家族が手続きをしなければなりません。家族には、iDeCoに加入していることを必ず伝えておきましょう（下のコラム参照）。

家族にお金のありかを知らせておこう

近年は、ネット銀行やネット証券で資産を管理している人も多いもの。iDeCoもWebサイトで管理しますし、ネット保険もありますね。あなたに万一のことがあったとき、その存在を知らなければ、ネット上の資産を見つけるのは難しいでしょう。どこにどのような資産があるか、家族に知らせておくことはとても大切。資産の種類や連絡先をまとめた一覧表を封筒に入れておき、「もしもときは開けてね」と家族にお願いしておくのもよいでしょう。

さくいん

あ

か

さ

た

な

は

参考資料

iDeCo公式サイト ▶https://www.ideco-koushiki.jp/
厚生労働省 確定拠出年金制度
▶http://www.mhlw.go.jp/stf/seisakunitsuite/bunya/nenkin/nenkin/kyoshutsu/index.html
日本年金機構 ▶http://www.nenkin.go.jp/
個人型確定拠出年金ナビ ▶http://www.dcnenkin.jp/
iDeCo個人型確定拠出年金ガイド（モーニングスター）▶https://ideco.morningstar.co.jp/

『一番やさしい！ 一番くわしい！ 個人型確定拠出年金iDeCo活用入門』（竹川美奈子著、ダイヤモンド社）
『「iDeCo」で自分年金をつくる 個人型確定拠出年金の超・実践的活用術』（朝倉智也著、祥伝社）
『オールカラー 日本一やさしいNISAの学校』（大竹のり子監修、ナツメ社）
『お金のきほん 図解 はじめての資産運用』（大竹のり子監修、学研パブリッシング）
『確定拠出年金の教科書』（山崎元著、日本実業出版社）
『ズボラな人のための確定拠出年金入門』（井戸美枝著、プレジデント社）
『はじめての確定拠出年金』（田村正之著、日本経済新聞出版社）
『はじめての確定拠出年金投資』（大江英樹著、東洋経済新報社）

著者

大竹のり子（おおたけ のりこ）

株式会社エフピーウーマン代表取締役
ファイナンシャルプランナー
出版社の編集者を経て、2005年4月に女性のためのお金の総合クリニック「エフピーウーマン」を設立。現在、雑誌、講演、テレビ・ラジオ出演などのほか、『お金の教養スクール』の運営を通じて、正しいお金の知識を学ぶことの大切さを伝えている。『なぜかお金に困らない女性の習慣』（大和書房）、『老後に破産しないお金の話』（成美堂出版）など著書多数。プライベートでは二児の母でもある。

株式会社エフピーウーマン
http://www.fpwoman.co.jp/

本書に関するお問い合わせは、書名・発行日・該当ページを明記の上、下記のいずれかの方法にてお送りください。電話でのお問い合わせはお受けしておりません。
・ナツメ社 webサイトの問い合わせフォーム
https://www.natsume.co.jp/contact
・FAX（03-3291-1305）
・郵送（下記、ナツメ出版企画株式会社宛て）
なお、回答までに日にちをいただく場合があります。正誤のお問い合わせ以外の書籍内容に関する解説・個別の相談は行っておりません。あらかじめご了承ください。

編集協力　寺本 彩・オフィス201
本文デザイン　OKAPPA DESIGN・伊藤 悠
イラスト　すぎやまえみこ
校正　寺尾徳子・今井美穂
編集担当　山路和彦（ナツメ出版企画株式会社）

はじめてでもスイスイわかる！ **確定拠出年金（iDeCo）入門 第2版**

2017年12月8日初版発行
2022年1月3日第2版第1刷発行

著　者　大竹のり子
発行者　田村正隆

発行所　株式会社ナツメ社
東京都千代田区神田神保町1-52　ナツメ社ビル1F（〒101-0051）
電話　03(3291)1257（代表）　FAX　03（3291）5761
振替　00130-1-58661
制　作　ナツメ出版企画株式会社
東京都千代田区神田神保町1-52　ナツメ社ビル3F（〒101-0051）
電話　03(3295)3921（代表）
印刷所　株式会社リーブルテック

ISBN978-4-8163-7120-2　Printed in Japan